Diderot

# Supplément au Voyage de Bougainville

*Édition présentée, établie et annotée
par Michel Delon*

Gallimard

# PRÉFACE

À la mémoire de Michèle Duchet

Lorsqu'il revient en France au printemps 1769, après avoir bouclé un tour du monde en deux années et demie, Louis Antoine de Bougainville ramène un insulaire des antipodes et des détails qui font nommer l'île lointaine la Nouvelle Cythère. L'insulaire Aotourou est bientôt la coqueluche des salons parisiens qui rêvent tout haut de sa terre natale où les amours seraient libres et publiques, sans préjugés ni interdits. Actrices et femmes du monde cherchent à attirer son attention. Il faut encore deux ans à Bougainville pour mettre au point, à partir de ses carnets de notes, et publier le récit de son périple. Les volumes sont imprimés en mai 1771. Une première partie du Voyage mène le lecteur à travers l'Atlantique, des côtes bretonnes au détroit de Magellan. Elle lui décrit, à l'extrémité de l'Amérique du Sud, des sauvages « petits, vilains, maigres, et d'une puanteur insupportable », dénués de tout, qui ne peuvent que le conforter dans la conviction d'une supériorité de la civilisation européenne

*La seconde partie le fait pénétrer avec les deux bateaux de Bougainville dans l'immensité inconnue du Pacifique. Les informations sur les îles qui y seraient dispersées restent alors floues. La navigation vers le Nord-Ouest se poursuit durant trois mois avec ses soucis (des maux de gorge persistants dans l'équipage), ses drames (un matelot tombe à la mer et ne peut être sauvé), son attente curieuse de l'inconnu, faite d'exaltation et d'inquiétude. Le 21 mars 1768, un thon est pêché, qui est l'équivalent des premiers oiseaux, annonciateurs traditionnels d'une terre aux navigateurs : l'estomac du thon contient de petits poissons qui ne vivent que près des côtes. Celles-ci apparaissent bientôt, mais les récifs qui entourent l'île la rendent inabordable par les navires français. Bougainville a la surprise d'apercevoir des habitants qu'il commence par imaginer être des Européens naufragés. La longue-vue révèle des corps nus et bronzés, des attitudes hostiles. Ce ne sont pas des Européens, des semblables, mais des sauvages avec lesquels le contact se révèle impossible. Les récifs et la méfiance qui s'incarne dans de longues piques brandies par les insulaires en direction des voyageurs font nommer par Bougainville ce coin de terre perdu l'île des Lanciers. Les bateaux traversent prudemment un groupe d'îles inaccessibles, baptisées l'Archipel dangereux. Le soulagement est d'autant plus fort de trouver au début avril le Boudoir, puis Tahiti, îles doublement hospitalières, par la topologie et par le caractère de leurs habitants.*

Le bateau sur lequel navigue Bougainville se nomme La Boudeuse, *la première île accueillante du Pacifique sera donc* Le Boudoir, *selon le vocabulaire le plus mondain, le plus parisien qui faisait alors fureur.* Boudeurs *sont ceux qui s'éloignent de la vie sociale, qui s'écartent du bavardage mondain, et le boudoir est ce cabinet de luxe et de raffinement où les hédonistes s'isolent pour jouir d'euxmêmes, où les libertins trouvent un coin discret pour leurs ébats. Des échos de cette vie aristocratique résonnent jusqu'au milieu du Pacifique. Loin des petits sauvages américains, maigres, et d'une puanteur insupportable, loin de la nature hostile, le comble du luxe moderne sert à dire la nudité athlétique et le dénuement euphorique. Bougainville a cru que les premiers êtres humains aperçus sur une côte perdue étaient des Européens naufragés, il imagine de même les îles luxuriantes qu'il aborde comme des décors d'opéra, comme des lieux de fêtes sensuelles. Devant la nature tropicale, n'évoque-t-il pas une toile de Boucher, le peintre des idylles galantes ? Les lecteurs de son récit de voyage ont voulu trouver dans ces paysages lointains, de l'autre côté de la terre, une concrétisation de leurs rêveries sur l'innocence originelle et la sensualité naturelle. Ils sont passés rapidement sur les coins désolés du détroit de Magellan pour s'attarder sous le climat enchanté de la Nouvelle Cythère.*

*Une affluence de pirogues s'approche des navires, remplies d'insulaires qui multiplient les témoignages d'amitié et offrent leurs femmes aux marins, sevrés depuis des mois de présence féminine. « Les hommes et les vieilles, qui les accompagnaient, leur avaient ôté la pagne dont ordinairement elles s'enveloppent. Elles nous firent d'abord, de leurs pirogues, des agaceries où, malgré leur naïveté, on découvrait quelque embarras, soit que la nature ait partout embelli le sexe d'une timidité ingénue, soit que, même dans les pays où règne encore la franchise de l'âge d'or, les femmes paraissent ne pas vouloir ce qu'elles désirent le plus.* » L'altérité radicale est rapportée à des schémas connus, le voyageur ne peut raconter son expérience qu'à travers la grille de ses habitudes de pensée. Tahiti doit représenter l'origine de l'humanité, un âge d'or que l'Europe aurait depuis longtemps troqué contre l'âge de fer du travail et du commerce, de la contrainte morale et du mariage.

La Polynésie pouvait prendre la suite de toutes ces terres lointaines, entre réalité et utopie, qui, depuis la Renaissance, avaient permis aux philosophes de critiquer la société européenne et chrétienne ou à leurs lecteurs de rêver à une vie libérée des contraintes et des censures. Dans les essais « Des cannibales » et « Des coches », Montaigne avait tiré des relations des premiers voyageurs en Amérique le principe d'un renversement paradoxal : les plus sauvages ne sont pas ceux que l'on croit, les catholiques et les réformés qui s'entredéchirent dans les guerres de religion méritent moins le nom de civilisés que les Indiens d'outre-Atlantique. À la fin du XVIIe siècle, le baron de La Hontan avait luimême vécu au Canada, il en rapporta trois volumes, les Nouveaux Voyages de M. le baron de La Hontan dans l'Amérique septentrionale, les Mémoires de l'Amérique septentrionale, ou la Suite des Voyages de M. le baron de La Hontan *et des* Dialogues de M. le baron de La Hontan et d'un sauvage dans l'Amérique, *publiés en 1703. Les deux premiers décrivaient la géographie du Canada et les mœurs de ses habitants, le troisième substituait à l'information la réflexion et la discussion. La Hontan se mettait en scène dans son débat avec un Huron, Adario, qui avait voyagé et connaissait assez la civilisation européenne pour en dénoncer les contradictions. Il défendait maladroitement le christianisme et les principes de la société européenne contre un Adario qui devenait le champion de la religion naturelle et de la tolérance :* « *Tu blâmes notre manière de vivre, les Français en général nous prennent pour des bêtes, les Jésuites nous traitent d'impies, de fous, d'ignorants et de vagabonds : et nous vous regardons tout sur le même pied. Avec cette différence que nous nous contentons de vous plaindre, sans vous dire des injures.* »

*Delisle de La Drevetière porta ce type de dialecticien nu sur la scène dans la comédie* Arlequin sauvage *(1721, l'année même où parurent les* Lettres persanes*), Joubert de La Rue et Maubert de Gouvest le font venir en Europe et s'étonner de nos mœurs, en nouveaux Persans, dans les* Lettres d'un sauvage dépaysé *(1738) et dans* Les Lettres iroquoises *(1752). Porte-parole de Maubert de Gouvest, il ne manque pas de critiquer la propriété et le mariage :* « *Chez nous tous les biens ne sont-ils pas communs ? Nous suivons la simple Nature, pourquoi s'en sont-ils écartés ? C'est ce premier égarement*

*qui a produit tous les autres. Ces principes détes-*
*tables ont été sanctifiés, et tous ces maux sont*
*devenus nécessaires. Chez nous toutes les condi-*
*tions sont égales. Le cœur seul décide de nos enga-*
*gements. Il nous lie et nous délie à son gré.* » Mais
une telle critique ne débouche sur aucune mise en
cause radicale de la société européenne, sur aucun
appel à la transformer. « *Vous êtes dans l'erreur,*
*mais votre erreur est raisonnée. Vos lois, dans l'état*
*où vous êtes, sont nécessaires* », dit encore l'Iroquois
de Maubert de Gouvest. Les différences entre Indiens
et Européens ne seraient finalement que des nuan-
ces de l'ordre divin : « *Tout est bien dans la nature.* »
En 1770 même, Bricaire de La Dixmerie publiait
Le Sauvage de Tahiti aux Français, avec un envoi
au philosophe ami des sauvages. *Son Tahitien*
décrivait Paris comme l'Usbek et le Rica de Montesquieu et concluait : « *Je vous quitte, je vais retrou-*
*ver ma patrie que je n'eusse jamais dû quitter.* »

Lorsque Bougainville rapporta ce que Bachau-
mont dans ses Mémoires secrets *nomme sarcasti-*
quement des « détails charmants » sur les amours
tahitiennes, un cadre était fixé qui assignait au sauvage la fonction de double inversé de l'Européen. Le
renversement pouvait fonder une critique comme
dans les dialogues de La Hontan ou justifier une
simple escapade exotique sans remise en cause de
l'ordre chrétien. Le document que représente le
Voyage autour du monde *devenait le prétexte de*
*simplifications qui le tirent du côté de discours*
convenus et attendus. Le succès mondain est en
tout cas tel que Grimm en veut un compte rendu

pour la Correspondance littéraire, *qui fasse participer à l'excitation des salons parisiens les riches
abonnés de son périodique à travers les cours européennes. Diderot est chargé de l'article. Selon les
principes d'une recension à l'époque, il sélectionne
des citations de Bougainville dont il propose un
montage, mais il donne toute sa mesure, en inter-
pellant le voyageur. « Ah ! Monsieur de Bougainville,
éloignez votre vaisseau des rives de ces innocents
et fortunés Tahitiens ; ils sont heureux et vous ne
pouvez que nuire à leur bonheur. » Les apostrophes
se succèdent, aux Européens et au vieillard tahitien,
mais l'animosité de Diderot le pousse à s'adresser
à nouveau, longuement, passionnément, au capitaine de l'expédition : « Vous vous promenez, vous
et les vôtres, Monsieur de Bougainville, dans toute
l'île ; partout vous êtes accueilli ; vous jouissez de
tout, et personne ne vous en empêche [...]. Enfin
vous vous éloignez de Tahiti ; vous allez recevoir
les adieux de ces bons et simples insulaires ; puissiez-vous, et vous et vos concitoyens et les autres
habitants de notre Europe, être engloutis au fond
des mers plutôt que de les revoir. » Le parallèle entre
une Europe, obsédée par le travail et la faute, et une
petite île paresseuse et jouisseuse débouche sur la
condamnation de ce qu'on nommera plus tard le
colonialisme. Raison de fond ou cause anecdotique,
réticence de Grimm devant la hardiesse de son ami
ou simple hasard, l'article ne passa pas dans la
Correspondance littéraire. Diderot le reprit, selon
une habitude qui tient aux principes mêmes du
travail intellectuel et littéraire chez lui. Celui qui a
contribué à la diffusion de la notion d'originalité*

*dans l'Europe des Lumières ne croit pas à la créa-
tion purement individuelle. Les œuvres humaines
ne sont pas plus créées* ex nihilo *que l'univers n'a
sans doute de Créateur, elles sont le résultat d'un
travail de transformation de textes antérieurs.
Diderot est d'abord traducteur, recenseur, annota-
teur, introducteur, collaborateur anonyme ou mas-
qué. C'est en récrivant les autres qu'il écrit comme
personne.*

*Il va donc récrire Bougainville, s'éloigner de son
texte, parfois l'oublier, dialoguer peut-être aussi
avec Rousseau qui n'est jamais nommé. Là où La
Hontan était tout à la fois le voyageur et le com-
mentateur critique, Diderot laisse à Bougainville le
rôle d'informateur et se réserve la fonction de com-
mentateur. Il s'accorde toutes les libertés d'invention. Il compose un supplément qui est au*
Voyage autour du monde *ce que les* Dialogues de
La Hontan *et d'un sauvage étaient aux* Voyages
dans l'Amérique septentrionale. *Mais il opère un
double déplacement par rapport à ce modèle du
dialogue entre l'Européen et le sauvage : il dédou-
ble le dialogue, faisant parler deux Européens
avant de mettre aux prises l'aumônier de l'expédition et son hôte tahitien, et prolonge le débat
théorique par la question de la juste violence révo-
lutionnaire. Chez La Hontan, la civilisation dialogue avec la nature. Chez Diderot, la civilisation
s'exprime à travers deux voix, A et B, qui ne partagent pas toujours la même opinion. La nature sauvage se fait entendre, soit sur le mode du dialogue
également — c'est la discussion entre Orou et
l'aumônier —, soit sur le mode de l'imprécation*

*et du refus d'un dialogue qui n'est qu'illusion et faux-semblants. On ne peut pas discuter avec des colonisateurs qui finissent par imposer la loi du plus fort. Le débat traditionnel est ainsi mis en perspective et rendu plus complexe. L'Europe ne se réduit pas au seul modèle chrétien et productiviste, ni la confrontation entre le civilisé et le sauvage à un simple échange d'arguments. Sur quelles bases, en quel langage engager la discussion ? A et B peuvent s'entretenir de morale et de politique, ils vivent dans la même société. Orou accepte de dialoguer avec l'aumônier ; à côté des idées et des principes, il joue d'arguments aussi peu abstraits que la beauté de ses filles et de sa femme. De son côté, le vieillard récuse le dialogue, il connaît cet argument qu'est la force des fusils et des canons. Il évoque la possibilité de massacrer l'expédition, mais délègue toute juste violence à un bien hypothétique ordre de la nature : qu'une tempête fasse justice et protège les Tahitiens de l'envahissement de leur terre par le colonialisme, le commerce, le tourisme. Mais cette imprécation elle-même passe par un double truchement, du tahitien à l'espagnol, de l'espagnol au français.*

*On comprend pourquoi les adieux précèdent la discussion, l'impossibilité de dialoguer est posée avant l'effort de confrontation. Il n'y a pas de dialogue entre la nature et la culture, mais une mise en scène par la culture de ses propres contradictions. Diderot refuse de simplement situer l'Europe et Tahiti comme deux moments d'une même histoire, soit que Tahiti représente un état primitif de*

*l'humanité, dépassé par le progrès des Lumières,
soit que l'île suggère une meilleure gestion de la vie
collective, qu'elle représente donc un modèle idéal
ou plutôt un contre-modèle, permettant de réformer
la société européenne. Dans un cas, Tahiti devrait
être rattrapée par la civilisation, s'adapter à la mo-
dernité, construire des complexes hôteliers ; dans
l'autre, elle servirait à dénoncer l'absurdité des préjugés sexuels et l'obsession de la productivité, de
la rentabilité. L'interlocuteur B affirme sans doute :
« L'Otaïtien touche à l'origine du monde et l'Européen touche à sa vieillesse » ; l'affirmation pourrait
s'entendre comme une évolution inévitable, de l'enfance à la vieillesse, ou comme une promesse de
régénération après les inévitables violences d'une
révolution qui, dans son sens étymologique, permettrait de retrouver la jeunesse. Cet enchevêtrement
de paroles montre surtout l'impossibilité d'établir
une frontière étanche entre une nature, idéalement
première et stable, et une vie sociale, vouée au
changement et à l'histoire.*

*La complexité formelle et philosophique de l'œu-
vre est liée aux réseaux textuels dans lesquels elle
s'inscrit. On peut au moins en dessiner trois. Le*
Supplément au Voyage de Bougainville *est diffusé
par Diderot, à partir de septembre 1773, dans la*
Correspondance littéraire *qui le présente comme
la « Suite des Contes de M. Diderot ». Le même
périodique avait en effet envoyé à ses abonnés
princiers en avril de la même année* Ceci n'est pas
un conte *et* Madame de La Carlière *en mai.*

Madame de La Carlière *est donnée comme le* « second conte ». *Le* Supplément *est bien le troisième. Le second s'achève par une discussion météorologique et le troisième prend la suite, en commençant par évoquer* « cette superbe voûte étoilée » *sous laquelle les promeneurs bavards étaient rentrés la veille. Une telle référence au temps qu'il fait suggère à la fois une relativité du climat qui ne cesse de varier, mais aussi une nécessaire observation qui permet de tirer des lois de ces changements. Si le temps est l'image de l'instabilité, il n'obéit pas moins à des règles physiques et chimiques qu'il s'agit d'établir. Au même moment, dans la première des* Rêveries du promeneur solitaire, *Jean-Jacques Rousseau se propose d'appliquer le baromètre à son âme et de pratiquer sur lui-même* « les opérations que font les physiciens sur l'air pour en connaître l'état journalier ». *La métaphore est, si l'on ose dire, dans l'air. Les mœurs d'un individu et d'une société ont leurs variations comme le soleil et la pluie, la température et la pression. La vie sexuelle a des rythmes physiologiques et des déterminismes psychologiques qui font que l'humeur change au gré de l'expulsion des humeurs. La circulation du sperme à laquelle la religion et la morale ont prétendu donner une signification essentielle est du même ordre que le cycle de l'eau dans l'atmosphère : une petite pluie dégage le ciel et apaise l'humeur. La société régule ces précipitations intimes selon ses propres besoins.*

*Les trois contes concernent la morale sexuelle. Celui qui est ironiquement nommé* Ceci *n'est pas* un conte *présente en symétrie deux couples mal assortis : des êtres aimants et dévoués s'éprennent de cyniques et de profiteurs. Un désir devient une passion et une catastrophe, il ruine la vie des amoureux sincères. Masculin ou féminin, le sexe n'y fait rien : le méchant est dans un cas une femme, dans le second un homme. Les amants de* Madame de La Carlière *semblent mieux appariés, mais l'héroïne s'est prise d'un idéal de rigueur qui l'empêche de pardonner une faiblesse à son compagnon. Leur milieu acceptait volontiers de distinguer entre inconstance et infidélité, petites escapades amoureuses et rupture d'un contrat de vie commune. L'intransigeance de Mme de La Carlière rend la vie impossible et perd le couple. Le troisième conte de la série arrache le lecteur aux drames du vieux continent et à ses interdits religieux, à ses rumeurs et chuchotements, il s'évade vers le ciel lumineux d'une île paradisiaque. Les corps y sont beaux, les désirs libres, la pudeur inconnue. Les couples s'étreignent sans honte à la vue de tous. Ceci est vraiment un conte, une fable. Mais il ne s'agit pas tant d'opposer en pendants les deux hémisphères, le brumeux et l'ensoleillé, le réel et le rêve, que de voir comment les règles de vie y ont de chaque côté leur nécessité.*

*Les amants malheureux de* Ceci n'est pas un conte *sont des forçats du travail autant que des aliénés de l'amour, alors que les amants glorieux de Tahiti échappent à la fatalité biblique de la peine. Les propriétaires européens contrôlent la naissance d'enfants qui se partageront l'héritage. Les insulaires*

*de la Polynésie considèrent au contraire la procréa-
tion comme leur principale richesse, et l'étrange
comptabilité des enfants, imaginée par Diderot, en
cas de séparation ressemble à la partition d'un
héritage. La perspective nataliste légitime le divorce,
l'errance sexuelle, dédramatise l'inceste, mais elle
impose de nouveaux interdits et Tahiti n'est pas un
paradis sexuel pour tous. Les jeunes filles prépu-
bères, les femmes indisposées et ménopausées sont
interdites de plaisir sexuel. Le gain de liberté de certains entraîne de nouvelles contraintes pour d'autres.
Aussi le bon Tahitien est-il forcé de reconnaître que,
dans son île aussi, il existe un libertinage, c'est-à-
dire un écart par rapport à la règle, comme si toute
loi sécrétait sa transgression et un plaisir de l'interdit. Du moins vaut-il mieux ne pas attacher d'idées
morales à ces actions physiques qui ne relèvent que
du plaisir individuel et de la survie du groupe.*

*On voit la cohésion des trois contes et on com-
prend qu'un éditeur de cet ensemble puisse affirmer
que « c'est une faute de les reproduire l'un sans
l'autre ». Puisque nos éditions successives de deux
des trois contes à la suite des* Amis de Bourbonne,
*puis du* Supplément *ici même encourent ce repro-
che, il faut s'interroger sur la possibilité de fixer des
textes que Diderot a toujours pensés en mouvement,
en devenir, en dialogue. Une même problématique
réunit le* Supplément *à* Ceci n'est pas un conte *et*
Madame de La Carlière, *une ligne non moins forte
relie le* Supplément *à cet archipel textuel que constituent les diverses éditions de l'*Histoire des deux
Indes *et les contributions fragmentaires de Diderot.*

*Les trois contes tournent autour de la question sexuelle. Seule la mise en relation du* Supplément *avec le travail de Raynal donne son sens à la harangue du vieillard qui dénonce l'entreprise coloniale implicite dans le voyage d'exploration. L'*Histoire des deux Indes *est à l'origine un projet du ministère français dans sa concurrence avec l'Angleterre. Elle prétend offrir une encyclopédie de l'outre-mer pour les Français expatriés et les candidats à la transplantation, mais Diderot a contribué à transformer ce manuel du bon colon en un pamphlet politique pour la liberté des peuples. Il interpelle les sauvages qui voient débarquer les Européens :* « Fuyez, malheureux Hottentots, fuyez ! enfoncez-vous dans vos forêts. Les bêtes féroces qui les habitent sont moins redoutables que les monstres sous l'empire desquels vous allez tomber. » *Il est peu probable que ces tribus sauvages prennent jamais connaissance de la harangue du philosophe qui s'adresse à tous les opprimés, sous couvert de parler aux Hottentots. De même, les adieux du vieillard dont Diderot souligne à plaisir l'invraisemblance donnent moins un avertissement aux Tahitiens qu'ils ne constituent un appel à la résistance pour les Européens. Le* Voyage de Bougainville *parle le langage de la raison, de la connaissance scientifique, de l'élargissement des échanges entre les nations. Le* Supplément *rappelle ce qu'il y a de violence dans le prétendu dialogue entre des interlocuteurs inégaux, ce qu'il y a de mensonge dans la bonne foi des maîtres du langage, du savoir et du commerce qui prétendent faire partager leurs techniques et* *imposent un mode unique de développement. Comment résister à un modèle dominant ? Le vieillard évoque sans s'y arrêter la lutte armée, il n'appelle pas au massacre de Bouguinville et des siens, à la façon dont La Pérouse sera tué quelques années plus tard. Orou, qui accepte le débat avec l'aumônier, sorte d'idéologue de l'expédition, fait le pari de l'entrisme et de la subversion intérieure. Il parle déjà le langage des Européens, il manie leur culture et leur logique. Il serait facile de traduire ces options dans notre vocabulaire actuel.*

*Orou a du moins entamé le dogmatisme d'un représentant de l'Église. L'interlocuteur A en tire une conclusion générale : il faut « prendre le froc du pays où l'on va, et garder celui du pays où l'on est ». Il n'est question que d'adaptation et de tolérance. Le* Supplément *s'inscrit de ce point de vue dans une autre série de dialogues qui, de l'*Entretien d'un père *avec ses enfants à l'*Entretien d'un philosophe *avec la maréchale de \*\*\*, s'interrogent sur les décalages entre la conscience et la loi civile, entre la conviction personnelle et l'obéissance aux règles sociales. S'entretenant avec la maréchale, Diderot conclut qu'une double morale est souhaitable, pour le for intérieur et pour les relations publiques. Dans un autre dialogue encore, suite du* Rêve de d'Alembert, *Bordeu invite Mlle de L'Espinasse à distinguer entre les principes qu'il énonce en tant que médecin pour les individus et les règles qu'il reconnaît officiellement. Comme il s'agit une fois de plus de morale sexuelle, les besoins de l'individu ne concernent que lui et ses partenaires,*

*tandis que les impératifs de la société s'imposent
aux citoyens pris collectivement. La dernière réplique
du* Supplément *pourrait n'être qu'un bon mot miso-
gyne :* « Qu'en penseraient [les femmes] ? — Peut-
être le contraire de ce qu'elles en diraient. » *Diderot
n'avait-il pas composé tout un roman,* Les Bijoux
indiscrets, *sur ce décalage entre la bouche et le sexe,
ce que dit l'honnêteté sociale et ce que réclame le
corps ? Mais les femmes sur qui se clôt le dialogue
ne se réduisent pas plus au sexe féminin que les
sauvages interpellés par le vieillard ne sont les seuls
Tahitiens. Nous ne pouvons jamais nous confondre
avec ce que la société prétend que nous soyons.*

*Diderot reste fidèle au principe libertin des deux
vérités. La mise en cause du pessimisme anthropologique et la perspective d'un possible progrès historique ont déplacé les lignes de démarcation entre les
convictions personnelles et la prise de parole publique, mais si Diderot s'engage dans l'entreprise encyclopédique pour diffuser la connaissance et la
réflexion, s'il compose du théâtre pour se faire entendre d'un public, il ne perd pas de vue la nécessité
d'étager ses écrits selon leur degré de publicité possible. Aux limites de ce que l'ordre d'ancien régime
peut tolérer, il confie anonymement ses harangues
politiques les plus enflammées à l'*Histoire des deux
Indes *et n'accepte la diffusion du* Supplément *que
dans une* Correspondance littéraire *recopiée à la
main à quelques exemplaires pour des privilégiés.
Au choix de la forme du* Supplément *correspond
une morale du décalage prudent. La réflexion est*

*fragmentaire, supplétive et suggestive ; la morale
sera tolérante, relative, attentive aux plus fragiles.*

    *Le mythe a prospéré. Le poète Delille dans* Les
Jardins *(1782) a chanté les bords de Tahiti « Où
l'amour sans pudeur n'est pas sans innocence » et
raconté en vers l'émotion du jeune Tahitien découvrant au Jardin du Roi, l'actuel Jardin des plantes,
un arbre de ses climats :*

Il s'élance, il l'embrasse, il le baigne de larmes,
Le couvre de baisers. Mille objets pleins de
    charmes,
Ces beaux champs, ce beau ciel, qui le virent
    heureux,
Ce fleuve qu'il fendait de ses bras vigoureux,
La forêt dont ses traits perçaient l'hôte sauvage,
Ces bananiers chargés et de fruits et d'ombrage,
Et le toit paternel, et les bois d'alentour,
Ces bois qui répondaient à ses doux chants
    d'amour,
Il croit les voir encor, et son âme attendrie
Du moins pour un instant retrouva sa patrie.

    *À la suite de Delille, Esménard mit en rimes, pour
son poème descriptif* La Navigation *(1805), l'Éden
du nouvel hémisphère,*

Beaux lieux où de l'amour sans voile et sans
    bandeau
L'innocence hardie allume le flambeau.

*Mais selon les prévisions amères du vieillard de Diderot, missionnaires protestants et catholiques n'ont pas manqué de s'abattre sur l'île paradisiaque, envenimant les conflits locaux, sur fond de rivalité franco-anglaise. Un protectorat fut finalement instauré en 1842, mais la fiction d'une monarchie locale céda la place en 1880 aux Établissements français de l'Océanie. À la fin du XIX<sup>e</sup> siècle, Gauguin abandonne l'Europe pour trouver en Océanie des couleurs plus vives et des amours plus libres. En 1935, la métropole venait de célébrer sa bonne conscience dans une exposition coloniale et René Crevel de composer sous le titre du* Clavecin de Diderot *un* Supplément au Rêve de d'Alembert *polémique, grinçant et flamboyant, dans la lignée des pamphlets surréalistes ; Jean Giraudoux préféra une provocation plus discrète, moins scandaleuse, faisant jouer à l'Athénée, sous la direction de Louis Jouvet, un* Supplément au voyage de Cook. *Il ne conservait du modèle diderotien que le dialogue entre Orou et l'aumônier, substituait les Anglais aux Français, remplaçait l'ecclésiastique catholique par un anglican, le naturaliste-empailleur de l'expédition, flanqué de son épouse, ce qui lui permettait de présenter deux scènes en parallèle : M. Banks aux prises avec les filles de son hôte et Mme Banks pressée par un beau Tahitien. Tout finit paisiblement et chastement, car M. et Mme Banks ont appris aux sauvages l'existence des fantasmes et les plaisirs de l'imagination. Mais on annonce à la dernière scène le débarquement des matelots de Cook et on* *suppose aisément qu'ils ne se contenteront pas de jouissances virtuelles.*

*Deux siècles après sa première publication, le* Supplément au Voyage de Bougainville *n'a pas épuisé sa force et son actualité. Entre les espoirs soixante-huitards d'une totale transparence et liberté sexuelles et la contagion des maladies sexuellement transmissibles, entre la maîtrise progressive des naissances et la montée de nouvelles intolérances, entre le plaisir et le commerce, notre époque ne peut, pas plus qu'une autre, faire l'économie d'une interrogation inquiète sur la morale sexuelle. Diderot réveille les Tahitiens et les Tahitiennes qui sommeillent en nous, tandis que son vieillard idéal nous parle de tous ceux qui n'ont pas la parole dans le déferlement technologique et financier réduisant le monde entier à un seul marché. L'exigence morale et le sens de l'urgence politique vont de pair chez Diderot avec la revendication de Tahitis intimes, îlots de convivialité, archipel de liberté amoureuse, villages gaulois ou polynésiens de résistance à la pensée unique et au commerce mondial. Île perdue au milieu d'un océan informatique, une vraie bibliothèque de livres de papier avec lesquels on puisse dialoguer est aussi une merveilleuse utopie tahitienne.*

MICHEL DELON

# Supplément
# au Voyage de Bougainville

ou
*Dialogue entre A et B
sur l'inconvénient d'attacher des idées
morales à certaines actions physiques
qui n'en comportent pas*[1].

*At quanto meliora monet, pugnantiaque istis*
*Dives opis natura suae : tu si modo recte*
*Dispensare velis, ac non fugienda petendis*
*Immiscere ; tuo vitio, rerumne labores*
*Nil referre putas ?*

*Horat. Lib. I, Sat. II*[1]

I

# JUGEMENT
## DU VOYAGE DE BOUGAINVILLE

A. Cette superbe voûte étoilée sous laquelle nous revînmes hier et qui semblait nous garantir un beau jour, ne nous a pas tenu parole[2].

B. Qu'en savez-vous ?

A. Le brouillard est si épais qu'il nous dérobe la vue des arbres voisins.

B. Il est vrai ; mais si ce brouillard qui ne reste dans la partie inférieure de l'atmosphère que parce qu'elle est suffisamment chargée d'humidité, retombe sur la terre ?

A. Mais si au contraire il traverse l'éponge[3], s'élève et gagne la région supérieure où l'air est moins dense et peut, comme disent les chimistes, n'être pas saturé[4] ?

B. Il faut attendre.

A. En attendant, que faites-vous ?

B. Je lis.

A. Toujours ce Voyage de Bougainville[1] ?

B. Toujours.

A. Je n'entends rien à cet homme-là[2]. L'étude des mathématiques qui suppose une vie sédentaire a rempli le temps de ses jeunes années et voilà qu'il passe subitement d'une condition méditative et retirée au métier actif, pénible, errant et dissipé de voyageur.

B. Nullement ; si le vaisseau n'est qu'une maison flottante, et si vous considérez le navigateur qui traverse des espaces immenses, resserré et immobile dans une enceinte assez étroite, vous le verrez faisant le tour du globe sur une planche, comme vous et moi le tour de l'univers sur notre parquet.

A. Une autre bizarrerie apparente, c'est la contradiction du caractère de l'homme et de son entreprise. Bougainville a le goût des amusements de la société. Il aime les femmes, les spectacles, les repas délicats. Il se prête au tourbillon du monde d'aussi bonne grâce qu'aux inconstances de l'élément sur lequel il a été ballotté. Il est aimable et gai. C'est un véritable Français[3], lesté d'un bord d'un Traité de calcul différentiel et intégral, et de l'autre d'un Voyage autour du globe.

B. Il fait comme tout le monde : il se dissipe après s'être appliqué, et s'applique après s'être dissipé.

A. Que pensez-vous de son Voyage ?

B. Autant que j'en puis juger sur une lecture assez superficielle, j'en rapporterais l'avantage à trois points principaux. Une meilleure connaissance de notre vieux domicile et de ses habitants ; plus de sûreté sur des mers qu'il a parcourues la sonde à la main[1] ; et plus de correction dans nos cartes géographiques. Bougainville est parti avec les lumières nécessaires et les qualités propres à ses vues : de la philosophie, du courage, de la véracité, un coup d'œil prompt qui saisit les choses et abrège le temps des observations ; de la circonspection, de la patience, le désir de voir, de s'éclairer et d'instruire, la science du calcul, des mécaniques, de la géométrie, de l'astronomie, et une teinture suffisante d'histoire naturelle.

A. Et son style ?

B. Sans apprêt, le ton de la chose ; de la simplicité et de la clarté, surtout quand on possède la langue des marins[2].

A. Sa course[3] a été longue ?

B. Je l'ai tracée sur ce globe. Voyez-vous cette ligne de points rouges ?

A. Qui part de Nantes ?

B. Et court jusqu'au détroit de Magellan, entre dans la mer Pacifique, serpente entre ces îles qui forment l'archipel immense qui s'étend des Philippines à la Nouvelle Hollande[4], rase Madagascar, le cap de Bonne-Espérance, se prolonge dans l'Atlantique, suit les côtes d'Afrique, et rejoint l'une de ses extrémités à celle d'où le navigateur s'est embarqué.

A. Il a beaucoup souffert ?

B. Tout navigateur s'expose et consent de s'exposer aux périls de l'air, du feu, de la terre et de l'eau ; mais qu'après avoir erré des mois entiers entre la mer et le ciel, entre la mort et la vie, après avoir été battu des tempêtes, menacé de périr par naufrage, par maladie, par disette d'eau et de pain, un infortuné vienne, son bâtiment fracassé, tomber expirant de fatigue et de misère aux pieds d'un monstre d'airain qui lui refuse ou lui fait attendre impitoyablement les secours les plus urgents, c'est une dureté ![1]...

A. Un crime digne de châtiment.

B. Une de ces calamités sur laquelle le voyageur n'a pas compté.

A. Et n'a pas dû compter. Je croyais que les puissances européennes n'envoyaient pour commandants dans leurs possessions d'outre-mer que des âmes honnêtes, des hommes bienfaisants, des sujets remplis d'humanité et capables de compatir...

B. C'est bien là ce qui les soucie !

A. Il y a des choses singulières dans ce Voyage de Bougainville.

B. Beaucoup.

A. N'assure-t-il pas que les animaux sauvages s'approchent de l'homme, et que les oiseaux viennent se poser sur lui, lorsqu'ils ignorent le péril de cette familiarité[2] ?

B. D'autres l'avaient dit avant lui.

A. Comment explique-t-il le séjour de certains animaux dans des îles séparées de tout continent par des intervalles de mer effrayants ? Qui est-ce qui a porté là le loup, le renard, le chien, le cerf, le serpent[1] ?

B. Il n'explique rien, il atteste le fait.

A. Et vous, comment l'expliquez-vous ?

B. Qui sait l'histoire primitive de notre globe ? combien d'espaces de terre maintenant isolés, étaient autrefois continus ? Le seul phénomène sur lequel on pourrait former quelque conjecture, c'est la direction de la masse des eaux qui les a séparés.

A. Comment cela ?

B. Par la forme générale des arrachements[2]. Quelque jour nous nous amuserons de cette recherche, si cela nous convient. Pour ce moment, voyez-vous cette île qu'on appelle des *Lanciers*[3] ? À l'inspection du lieu qu'elle occupe sur le globe, il n'est personne qui ne se demande : Qui est-ce qui a placé là des hommes ? Quelle communication les liait autrefois avec le reste de leur espèce ? Que deviennent-ils en se multipliant sur un espace qui n'a pas plus d'une lieue de diamètre[4] ?

A. Ils s'exterminent et se mangent ; et de là peut-être une première époque très ancienne et très naturelle de l'anthropophagie, insulaire d'origine[5].

B. Ou la multiplication y est limitée par quelque loi superstitieuse : l'enfant y est écrasé dans le sein de sa mère foulée sous les pieds d'une prêtresse[6].

A. Ou l'homme égorgé expire sous le couteau d'un prêtre[7]. Ou l'on a recours à la castration des mâles[8]...

B. À l'infibulation des femelles[9] ; et de là tant d'usages d'une cruauté nécessaire et bizarre, dont la cause s'est perdue dans la nuit des temps et met les philosophes à la torture. Une observation assez constante, c'est que les institutions surnaturelles et divines se fortifient et s'éternisent en se transformant à la longue en lois civiles et nationales, et que les institutions civiles et nationales se consacrent et dégénèrent en préceptes surnaturels et divins.

A. C'est une des palingénésies[1] les plus funestes.

B. Un brin de plus qu'on ajoute au lien dont on nous serre.

A. N'était-il pas au Paraguay au moment même de l'expulsion des jésuites[2] ?

B. Oui.

A. Qu'en dit-il ?

B. Moins qu'il n'en pourrait dire, mais assez pour nous apprendre que ces cruels Spartiates en jaquette noire[3] en usaient avec leurs esclaves indiens comme les Lacédémoniens avec les ilotes[4], les avaient condamnés à un travail assidu, s'abreuvaient de leurs sueurs, ne leur avaient laissé aucun droit de propriété, les tenaient sous l'abrutissement de la superstition, en exigeaient une vénération profonde, marchaient au milieu d'eux un fouet à la main et en frappaient indistinctement tout âge et tout sexe. Un siècle de plus et leur expulsion devenait impossible ou le motif d'une longue guerre entre ces moines et le souverain dont ils avaient secoué peu à peu l'autorité.

A. Et ces Patagons dont le docteur Maty et l'académicien La Condamine ont tant fait de bruit[5] ?

B. Ce sont de bonnes gens qui viennent à vous et qui vous embrassent en criant, *chaoua*, forts, vigoureux, toutefois n'excédant pas la hauteur de cinq pieds cinq à six pouces, n'ayant d'énorme que leur corpulence, la grosseur de leur tête et l'épaisseur de leurs membres.

A[1]. Né avec le goût du merveilleux qui exagère tout autour de lui, comment l'homme laisserait-il une juste proportion aux objets, lorsqu'il a pour ainsi dire à justifier le chemin qu'il a fait et la peine qu'il s'est donnée pour les aller voir au loin ? Et des sauvages, qu'en pense-t-il ?

B. C'est, à ce qu'il paraît, de la défense journalière contre les bêtes féroces qu'il tient le caractère cruel qu'on lui remarque quelquefois ; il est innocent et doux partout où rien ne trouble son repos et sa sécurité. Toute guerre naît d'une prétention commune à la même propriété. L'homme civilisé a une prétention commune avec l'homme civilisé à la possession d'un champ dont ils occupent les deux extrémités, et ce champ devient un sujet de dispute entre eux.

A. Et le tigre a une prétention commune avec l'homme sauvage à la possession d'une forêt ; et c'est la première des prétentions et la cause de la plus ancienne des guerres. Avez-vous vu l'Otaïtien que Bougainville avait pris sur son bord et transporté dans ce pays-ci ?

B. Je l'ai vu ; il s'appelait Aotourou. À la première terre qu'il aperçut, il la prit pour la patrie du voyageur, soit qu'on lui en eût imposé sur la longueur du voyage, soit que trompé naturellement par le peu de distance apparente des bords de la mer qu'il habitait, à l'endroit où le ciel semble confiner avec l'horizon, il ignorât la véritable étendue de la terre. L'usage commun des femmes était si bien établi dans son esprit qu'il se jeta sur la première Européenne qui vint à sa rencontre, et qu'il se disposait très sérieusement à lui faire la politesse d'Otaïti[1]. Il s'ennuyait parmi nous[2]. L'alphabet otaïtien n'ayant ni b, ni c, ni d, ni f, ni g, ni q, ni x, ni y, ni z, il ne put jamais apprendre à parler notre langue qui offrait à ses organes inflexibles trop d'articulations étrangères et de sons nouveaux. Il ne cessait de soupirer après son pays, et je n'en suis pas étonné. Le Voyage de Bougainville est le seul qui m'ait donné du goût pour une autre contrée que la mienne. Jusqu'à cette lecture j'avais pensé qu'on n'était nulle part aussi bien que chez soi, résultat que je croyais le même pour chaque habitant de la terre, effet naturel de l'attrait du sol, attrait qui tient aux commodités[3] dont on jouit et qu'on n'a pas la même certitude de retrouver ailleurs.

A. Quoi ! vous ne croyez pas l'habitant de Paris aussi convaincu qu'il croisse des épis dans la campagne de Rome que dans les champs de la Beauce ?

B. Ma foi non. Bougainville a renvoyé Aotourou après avoir pourvu aux frais et à la sûreté de son retour[4].

A. Ô Aotourou, que tu seras content de revoir ton père, ta mère, tes frères, tes sœurs[5], tes compatriotes ! Que leur diras-tu de nous ?

B. Peu de choses et qu'ils ne croiront pas.

A. Pourquoi peu de choses ?

B. Parce qu'il en a peu conçues, et qu'il ne trouvera dans sa langue aucuns termes correspondants à celles dont il a quelques idées.

A. Et pourquoi ne le croiront-ils pas ?

B. Parce qu'en comparant leurs mœurs aux nôtres, ils aimeront mieux prendre Aotourou pour un menteur que de nous croire si fous.

A. En vérité ?

B. Je n'en doute pas. La vie sauvage est si simple, et nos sociétés sont des machines[1] si compliquées ! L'Otaïtien touche à l'origine du monde et l'Européen touche à sa vieillesse. L'intervalle qui le sépare de nous est plus grand que la distance de l'enfant qui naît à l'homme décrépit. Il n'entend rien à nos usages, à nos lois, ou il n'y voit que des entraves déguisées sous cent formes diverses, entraves qui ne peuvent qu'exciter l'indignation et le mépris d'un être en qui le sentiment de la liberté est le plus profond des sentiments.

A. Est-ce que vous donneriez dans la fable d'Otaïti ?

B. Ce n'est point une fable, et vous n'auriez aucun doute sur la sincérité de Bougainville, si vous connaissiez le Supplément[2] de son Voyage.

A. Et où trouve-t-on ce Supplément ?

B. Là, sur cette table.

A. Est-ce que vous ne me le confieriez pas ?

B. Non, mais nous pourrons le parcourir ensemble, si vous voulez.

A. Assurément, je le veux. Voilà le brouillard qui retombe et l'azur du ciel qui commence à paraître. Il semble que mon lot soit d'avoir tort avec vous jusque dans les moindres choses. Il faut que je sois bien bon pour vous pardonner une supériorité aussi continue.

B. Tenez, tenez, lisez. Passez ce préambule qui ne signifie rien, et allez droit aux adieux que fit un des chefs de l'île à nos voyageurs. Cela vous donnera quelque notion de l'éloquence de ces gens-là.

A. Comment Bougainville a-t-il compris ces adieux prononcés dans une langue qu'il ignorait ?

B. Vous le saurez.

# LES ADIEUX DU VIEILLARD[1]

C'est un vieillard qui parle ; il était père d'une famille nombreuse. À l'arrivée des Européens, il laissa tomber des regards de dédain sur eux, sans marquer ni étonnement, ni frayeur, ni curiosité. Ils l'abordèrent, il leur tourna le dos et se retira dans sa cabane. Son silence et son souci ne décelaient que trop sa pensée : il gémissait en lui-même sur les beaux jours de son pays éclipsés. Au départ de Bougainville, lorsque les habitants accouraient en foule sur le rivage, s'attachaient à ses vêtements, serraient ses camarades entre leurs bras et pleuraient, ce vieillard s'avança d'un air sévère et dit :

« Pleurez, malheureux Otaïtiens, pleurez[2], mais que ce soit de l'arrivée et non du départ de ces hommes ambitieux et méchants. Un jour vous les connaîtrez mieux. Un jour ils reviendront le morceau de bois que vous voyez attaché à la ceinture de celui-ci dans une main, et le fer qui pend au côté de celui-là dans l'autre[3], vous enchaîner, vous égorger ou vous assujettir à leurs extravagances et à leurs vices. Un jour vous servirez sous eux, aussi corrompus, aussi vils, aussi malheureux qu'eux. Mais je me console, je touche à la fin de ma carrière, et la calamité que je vous annonce, je ne la verrai point. Ô Otaïtiens, ô mes amis, vous auriez un moyen d'échapper à un funeste avenir, mais j'aimerais mieux mourir que de vous en donner le conseil. Qu'ils s'éloignent et qu'ils vivent. »

Puis s'adressant à Bougainville, il ajouta :

« Et toi, chef des brigands qui t'obéissent, écarte promptement ton vaisseau de notre rive. Nous sommes innocents, nous sommes heureux, et tu ne peux que nuire à notre bonheur. Nous suivons le pur instinct de la nature, et tu as tenté d'effacer de nos âmes son caractère. Ici tout est à tous, et tu nous as prêché je ne sais quelle distinction du tien et du mien[1]. Nos filles et nos femmes nous sont communes[2], tu as partagé ce privilège avec nous, et tu es venu allumer en elles des fureurs inconnues. Elles sont devenues folles dans tes bras, tu es devenu féroce entre les leurs ; elles ont commencé à se haïr ; vous vous êtes égorgés pour elles, et elles nous sont revenues teintes de votre sang. Nous sommes libres, et voilà que tu as enfoui dans notre terre le titre de notre futur esclavage. Tu n'es ni un dieu ni un démon, qui es-tu donc pour faire des esclaves ? Orou, toi qui entends la langue de ces hommes-là, dis-nous à tous, comme tu me l'as dit à moi-même, ce qu'ils ont écrit sur cette lame de métal : *Ce pays est à nous*. Ce pays est à toi ! et pourquoi ? Parce que tu y as mis le pied ! Si un Otaïtien débarquait un jour sur vos côtes et qu'il gravât sur une de vos pierres ou sur l'écorce d'un de vos arbres : *Ce pays est aux habitants d'Otaïti*, qu'en penserais-tu ? Tu es le plus fort, et qu'est-ce que cela fait ? Lorsqu'on t'a enlevé une des méprisables bagatelles dont ton bâtiment est rempli, tu t'es récrié, tu t'es vengé, et dans le même instant tu as projeté au fond de ton cœur le vol de toute une contrée ! Tu n'es pas esclave, tu souffrirais plutôt la mort que de l'être, et tu veux nous asservir ! Tu crois donc que l'Otaïtien ne sait pas défendre sa liberté et mourir ? Celui dont tu veux t'emparer comme de la brute[1], l'Otaïtien est ton frère ; vous êtes deux enfants de la nature ; quel droit as-tu sur lui qu'il n'ait pas sur toi ? Tu es venu, nous sommes-nous jetés sur ta personne ? Avons-nous pillé ton vaisseau ? T'avons-nous saisi et exposé aux flèches de nos ennemis ? T'avons-nous associé dans nos champs au travail de nos animaux ? Nous avons respecté notre image en toi. Laisse-nous nos mœurs, elles sont plus sages et plus honnêtes que les tiennes. Nous ne voulons point troquer ce que tu appelles notre ignorance contre tes inutiles lumières. Tout ce qui nous est nécessaire et bon nous le possédons. Sommes-nous dignes de mépris parce que nous n'avons pas su nous faire des besoins superflus ? Lorsque nous avons faim, nous avons de quoi manger ; lorsque nous avons froid, nous avons de quoi nous vêtir. Tu es entré dans nos cabanes, qu'y manque-t-il à ton avis ? Poursuis jusqu'où tu voudras ce que tu appelles commodités de la vie, mais permets à des êtres sensés de s'arrêter, lorsqu'ils n'auraient à obtenir de la continuité de leurs pénibles efforts que des biens imaginaires. Si tu nous persuades de franchir l'étroite limite du besoin, quand finirons-nous de travailler, quand jouirons-nous ? Nous avons rendu la somme de nos fatigues annuelles et journalières la moindre qu'il était possible, parce que rien ne nous paraît préférable au repos. Va dans ta contrée t'agiter, te tourmenter tant que tu voudras. Laisse-nous reposer ; ne nous entête ni de tes besoins factices, ni de tes vertus chimériques. Regarde ces hommes, vois comme ils sont droits, sains et robustes[1] ; regarde ces femmes, vois comme elles sont droites, saines, fraîches et belles[2]. Prends cet arc, c'est le mien, appelle à ton aide un, deux, trois, quatre de tes camarades, et tâchez de le tendre. Je le tends moi seul ; je laboure la terre ; je grimpe la montagne ; je perce la forêt[3] ; je parcours une lieue de la plaine en moins d'une heure ; tes jeunes compagnons ont eu peine à me suivre, et j'ai quatre-vingt-dix ans passés. Malheur à cette île ! malheur aux Otaïtiens présents et à tous les Otaïtiens à venir, du jour où tu nous a visités ! Nous ne connaissions qu'une maladie, celle à laquelle l'homme, l'animal et la plante ont été condamnés, la vieillesse, et tu nous en as apporté une autre ; tu as infecté notre sang[4]. Il nous faudra peut-être exterminer de nos propres mains nos filles, nos femmes, nos enfants, ceux qui ont approché tes femmes, celles qui ont approché tes hommes. Nos champs

seront trempés du sang impur qui a passé de tes
veines dans les nôtres, ou nos enfants condamnés à nourrir et à perpétuer le mal que tu as
donné aux pères et aux mères et qu'ils transmet-
tront à jamais à leurs descendants. Malheureux !
tu seras coupable ou des ravages qui suivront les
funestes caresses des tiens, ou des meurtres que
nous commettrons pour en arrêter le poison. Tu
parles de crimes, as-tu l'idée d'un plus grand
crime que le tien ? Quel est chez toi le châtiment
de celui qui tue son voisin ? La mort par le fer.
Quel est chez toi le châtiment du lâche qui l'em-
poisonne ? La mort par le feu. Compare ton forfait à ce dernier, et dis-nous, empoisonneur de
nations, le supplice que tu mérites. Il n'y a qu'un
moment la jeune Otaïtienne s'abandonnait avec
transport aux embrassements du jeune Otaïtien ;
elle attendait avec impatience que sa mère, auto-
risée par l'âge nubile, relevât son voile et mit sa
gorge à nu ; elle était fière d'exciter les désirs et
d'irriter les regards amoureux de l'inconnu, de
ses parents, de son frère ; elle acceptait sans
frayeur et sans honte, en notre présence, au milieu d'un cercle d'innocents Otaïtiens, au son des
flûtes, entre les danses, les caresses de celui que
son jeune cœur et la voix secrète de ses sens lui
désignaient[1]. L'idée du crime et le péril de la
maladie sont entrés avec toi parmi nous. Nos
jouissances autrefois si douces sont accompa-
gnées de remords et d'effroi. Cet homme noir qui
est près de toi, qui m'écoute, a parlé à nos garçons ; je ne sais ce qu'il a dit à nos filles, mais

nos garçons hésitent, mais nos filles rougissent. Enfonce-toi, si tu veux, dans la forêt obscure avec la compagne perverse de tes plaisirs[1], mais accorde aux bons et simples Otaïtiens de se reproduire sans honte, à la face du ciel et au grand jour. Quel sentiment plus honnête et plus grand pourrais-tu mettre à la place de celui que nous leur avons inspiré et qui les anime ? ils pensent que le moment d'enrichir la nation et la famille d'un nouveau citoyen est venu, et ils s'en glorifient. Ils mangent pour vivre et pour croître ; ils croissent pour multiplier, et ils n'y trouvent ni vice ni honte. Écoute la suite de tes forfaits : à peine t'es-tu montré parmi eux, qu'ils sont devenus voleurs ; à peine es-tu descendu dans notre terre, qu'elle a fumé de sang. Cet Otaïtien qui courut à ta rencontre, qui t'accueillit, qui te reçut en criant *taïo*, ami, ami, vous l'avez tué. Et pourquoi l'avez-vous tué ? Parce qu'il avait été séduit par l'éclat de tes petits œufs de serpent. Il te donnait ses fruits, il t'offrait sa femme et sa fille, il te cédait sa cabane, et tu l'as tué pour une poignée de ces grains qu'il avait pris sans te les demander. Au bruit de ton arme meurtrière, la terreur s'est emparée de lui et il s'est enfui dans la montagne ; mais crois qu'il n'aurait pas tardé d'en descendre, crois qu'en un instant, sans moi, vous périssiez tous. Eh ! pourquoi les ai-je apaisés ? pourquoi les ai-je contenus ? pourquoi les contiens-je encore dans ce moment ? Je l'ignore, car tu ne mérites aucun sentiment de pitié, car tu as une âme féroce qui ne l'éprouva jamais. Tu t'es promené toi et les tiens dans notre île, tu as été respecté, tu as jouis de tout, tu n'as trouvé sur ton chemin ni barrière ni refus. On t'invitait, tu t'asseyais, on étalait devant toi l'abondance du pays. As-tu voulu de jeunes filles ? excepté celles qui n'ont pas encore le privilège de montrer leur visage et leur gorge, les mères t'ont présenté les autres toutes nues ; te voilà possesseur de la tendre victime du devoir hospitalier ; on a jonché pour elle et pour toi la terre de feuilles et de fleurs ; les musiciens ont accordé leurs instruments, rien n'a troublé la douceur ni gêné la liberté de tes caresses et des siennes. On a chanté l'hymne, l'hymne qui t'exhortait à être homme, qui exhortait notre enfant à être femme et femme complaisante et voluptueuse. On a dansé autour de votre couche, et c'est au sortir des bras de cette femme, après avoir éprouvé sur son sein la plus douce ivresse, que tu as tué son frère, son ami, son père peut-être. Tu as fait pis encore ; regarde de ce côté, vois cette enceinte hérissée de flèches, ces armes qui n'avaient menacé que nos ennemis, vois-les tournées contre nos propres enfants ; vois les malheureuses compagnes de vos plaisirs, vois leur tristesse ; vois la douleur de leurs pères, vois le désespoir de leurs mères. C'est là qu'elles sont condamnées à périr ou par nos mains ou par le mal que tu leur as donné. Éloigne-toi, à moins que tes yeux cruels ne se plaisent à des spectacles de mort ; éloigne-toi, va, et puissent les mers coupables qui t'ont épargné dans ton voyage, s'absoudre et nous venger en t'engloutissant avant ton retour ! Et vous, Otaïtiens, rentrez dans vos cabanes, rentrez tous, et que ces indignes étrangers n'entendent à leur départ que le flot qui mugit et ne voient que l'écume dont sa fureur blanchit une rive déserte. »

À peine eut-il achevé, que la foule des habitants disparut, un vaste silence régna dans toute l'étendue de l'île, et l'on n'entendit que le sifflement aigu des vents et le bruit sourd des eaux sur toute la longueur de la côte. On eût dit que l'air et la mer sensibles à la voix du vieillard se disposaient à lui obéir[1].

B. Eh bien, qu'en pensez-vous ?

A. Ce discours me paraît véhément, mais à travers je ne sais quoi d'abrupt et de sauvage il me semble retrouver des idées et des tournures européennes[2].

B. Pensez donc que c'est une traduction de l'otaïtien en espagnol et de l'espagnol en français. L'Otaïtien s'était rendu la nuit chez cet Orou qu'il a interpellé et dans la case duquel l'usage de la langue espagnole s'était conservé de temps immémorial[3]. Orou avait écrit en espagnol la harangue du vieillard, et Bougainville en avait une copie à la main, tandis que l'Otaïtien la prononçait.

A. Je ne vois que trop à présent pourquoi Bougainville a supprimé ce fragment. Mais ce n'est pas là tout, et ma curiosité pour le reste n'est pas légère.

B. Ce qui suit peut-être vous intéressera moins.

A. N'importe.

B. C'est un entretien de l'aumônier de l'équipage avec un habitant de l'île.

A. Orou ?

B. Lui-même. Lorsque le vaisseau de Bougainville approcha d'Otaïti, un nombre infini d'arbres
creusés furent lancés sur les eaux, en un instant
son bâtiment en fut environné ; de quelque côté
qu'il tournât ses regards il voyait des démonstrations de surprise et de bienveillance. On lui jetait
des provisions, on lui tendait les bras ; on s'attachait à des cordes, on gravissait contre les planches, on avait rempli sa chaloupe. On criait vers
le rivage d'où les cris étaient répondus ; les habitants de l'île accouraient. Les voilà tous à terre.
On s'empare des hommes de l'équipage, on se les
partage ; chacun conduit le sien dans sa cabane.
Les hommes les tenaient embrassés par le milieu
du corps, les femmes leur flattaient les joues de
leurs mains. Placez-vous là, soyez témoin par la
pensée de ce spectacle d'hospitalité, et dites-moi
comment vous trouvez l'espèce humaine.

A. Très belle.

B. Mais j'oublierai peut-être de vous parler
d'un événement assez singulier. Cette scène de
bienveillance et d'humanité fut troublée tout à
coup par les cris d'un homme qui appelait à son
secours ; c'était le domestique d'un des officiers de
Bougainville[1]. De jeunes Otaïtiens s'étaient jetés
sur lui, l'avaient étendu par terre, le déshabillaient
et se disposaient à lui faire la civilité[2].

A. Quoi ! ces peuples si simples, ces sauvages
si bons, si honnêtes[3]...

**B.** Vous vous trompez. Ce domestique était une femme déguisée en homme. Ignorée de l'équipage entier pendant tout le temps d'une longue traversée, les Otaïtiens devinèrent son sexe au premier coup d'œil. Elle était née en Bourgogne, elle s'appelait Barré ; ni laide ni jolie, âgée de vingt-six ans. Elle n'était jamais sortie de son hameau, et sa première pensée de voyager fut de faire le tour du globe. Elle montra toujours de la sagesse et du courage.

**A.** Ces frêles machines-là renferment quelquefois des âmes bien fortes[1].

# L'ENTRETIEN
## DE L'AUMÔNIER ET D'OROU

B. Dans la division que les Otaïtiens se firent de l'équipage de Bougainville, l'aumônier devint le partage d'Orou. L'aumônier et l'Otaïtien étaient à peu près du même âge, trente-cinq à trente-six ans. Orou n'avait alors que sa femme et trois filles appelées Asto, Palli et Thia. Elles le déshabillèrent, lui lavèrent le visage, les mains et les pieds, et lui servirent un repas sain et frugal. Lorsqu'il fut sur le point de se coucher, Orou qui s'était absenté avec sa famille, reparut, lui présenta sa femme et ses trois filles nues[1], et lui dit :

Tu as soupé, tu es jeune, tu te portes bien ; si tu dors seul, tu dormiras mal : l'homme a besoin, la nuit, d'une compagne à son côté. Voilà ma femme, voilà mes filles, choisis celle qui te convient ; mais si tu veux m'obliger, tu donneras la préférence à la plus jeune de mes filles qui n'a point encore eu d'enfants. La mère ajouta : Hélas ! je n'ai pas à m'en plaindre, la pauvre Thia ! ce n'est pas sa faute.

L'aumônier répondit que sa religion, son état[2],

les bonnes mœurs et l'honnêteté ne lui permet-
taient pas d'accepter ses offres.

Orou répliqua :

Je ne sais ce que c'est que la chose que tu appelles religion[1], mais je ne puis qu'en penser mal,
puisqu'elle t'empêche de goûter un plaisir innocent auquel nature, la souveraine maîtresse, nous
invite tous ; de donner l'existence à un de tes semblables ; de rendre un service que le père, la mère
et les enfants te demandent ; de t'acquitter envers
un hôte qui t'a fait un bon accueil, et d'enrichir
une nation en l'accroissant d'un sujet de plus. Je
ne sais ce que c'est que la chose que tu appelles
état ; mais ton premier devoir est d'être homme
et d'être reconnaissant. Je ne te propose pas de
porter dans ton pays les mœurs d'Orou, mais
Orou, ton hôte et ton ami, te supplie de te prêter
aux mœurs d'Otaïti. Les mœurs d'Otaïti sont-elles
meilleures ou plus mauvaises que les vôtres ? c'est
une question facile à décider. La terre où tu es né
a-t-elle plus d'hommes qu'elle n'en peut nourrir ?
en ce cas tes mœurs ne sont ni pires ni meilleures
que les nôtres. En peut-elle nourrir plus qu'elle
n'en a ? nos mœurs sont meilleures que les tiennes. Quant à l'honnêteté[2] que tu m'objectes, je
te comprends : j'avoue que j'ai tort et je t'en
demande pardon. Je n'exige pas que tu nuises à
ta santé ; si tu es fatigué, il faut que tu te reposes,
mais j'espère que tu ne continueras pas à nous
contrister. Vois le souci que tu as répandu sur
tous ces visages. Elles craignent que tu n'aies

remarqué en elles quelques défauts qui leur attirent ton dédain. Mais quand cela serait, le plaisir d'honorer une de mes filles entre ses compagnes et ses sœurs et de faire une bonne action ne te suffirait-il pas ? Sois généreux.

L'AUMÔNIER. Ce n'est pas cela ; elles sont toutes quatre également belles. Mais ma religion ! mais mon état !

OROU. Elles m'appartiennent et je te les offre ; elles sont à elles et elles se donnent à toi. Quelle que soit la pureté de conscience que la chose religion et la chose état te prescrivent, tu peux les accepter sans scrupule. Je n'abuse point de mon autorité, et sois sûr que je connais et que je respecte les droits des personnes.

Ici le véridique[1] aumônier convient que jamais la Providence ne l'avait exposé à une aussi pressante tentation. Il était jeune ; il s'agitait, il se tourmentait ; il détournait ses regards des aimables suppliantes, il les ramenait sur elles ; il levait ses yeux et ses mains au ciel. Thia, la plus jeune, embrassait ses genoux et lui disait : « Étranger, n'afflige pas mon père, n'afflige pas ma mère, ne m'afflige pas. Honore-moi dans la cabane et parmi les miens ; élève-moi au rang de mes sœurs qui se moquent de moi. Asto, l'aînée, a déjà trois enfants ; Palli, la seconde, en a deux, et Thia n'en a point. Étranger, honnête étranger, ne me rebute pas ; rends-moi mère : fais-moi un enfant que je puisse un jour promener par la main, à côté de moi, dans Otaïti, qu'on voie dans neuf mois attaché à mon sein, dont je sois fière, et qui fasse une partie de ma dot lorsque je passerai de la cabane de mon père dans une autre. Je serai peut-être plus chanceuse avec toi qu'avec nos jeunes Otaïtiens. Si tu m'accordes cette faveur, je ne t'oublierai plus ; je te bénirai toute ma vie ; j'écrirai ton nom sur mon bras et sur celui de ton fils, nous le prononcerons sans cesse avec joie ; et lorsque tu quitteras ce rivage, mes souhaits t'accompagneront sur les mers jusqu'à ce que tu sois arrivé dans ton pays. »

Le naïf[1] aumônier dit qu'elle lui serrait les mains, qu'elle attachait sur ses yeux des regards si expressifs et si touchants, qu'elle pleurait, que son père, sa mère et ses sœurs s'éloignèrent, qu'il resta seul avec elle, et qu'en disant, Mais ma religion ! mais mon état ! il se trouva le lendemain couché à côté de cette jeune fille qui l'accablait de caresses, et qui invitait son père, sa mère et ses sœurs, lorsqu'ils s'approchèrent de son lit le matin, à joindre leur reconnaissance à la sienne. Asto et Palli qui s'étaient éloignées rentrèrent avec les mets du pays, des boissons et des fruits. Elles embrassaient leur sœur et faisaient des vœux sur elle ; ils déjeunèrent tous ensemble, ensuite Orou, demeuré seul avec l'aumônier, lui dit :

Je vois que ma fille est contente de toi, et je te remercie. Mais pourrais-tu m'apprendre ce que c'est que le mot religion que tu as prononcé tant de fois et avec tant de douleur ?

L'AUMÔNIER[2]. Qui est-ce qui a fait ta cabane et les ustensiles qui la meublent ?

OROU. C'est moi.

L'AUMÔNIER. Eh bien, nous croyons que ce monde et ce qu'il renferme est l'ouvrage d'un ouvrier.

OROU. Il a donc des pieds, des mains, une tête ?

L'AUMÔNIER. Non.

OROU. Où fait-il sa demeure ?

L'AUMÔNIER. Partout.

OROU. Ici même ?

L'AUMÔNIER. Ici.

OROU. Nous ne l'avons jamais vu.

L'AUMÔNIER. On ne le voit pas.

OROU. Voilà un père bien indifférent. Il doit être vieux, car il a du moins l'âge de son ouvrage.

L'AUMÔNIER. Il ne vieillit point. Il a parlé à nos ancêtres, il leur a donné des lois, il leur a prescrit la manière dont il voulait être honoré ; il leur a ordonné certaines actions comme bonnes, il leur en a défendu d'autres comme mauvaises.

OROU. J'entends ; et une de ces actions qu'il leur a défendues comme mauvaises, c'est de coucher avec une femme ou une fille. Pourquoi donc a-t-il fait deux sexes ?

L'AUMÔNIER. Pour s'unir, mais à certaines conditions requises, après certaines cérémonies préalables, en conséquence desquelles un homme appartient à une femme et n'appartient qu'à elle, une femme appartient à un homme et n'appartient qu'à lui.

OROU. Pour toute leur vie ?

L'AUMÔNIER. Pour toute leur vie.

OROU. En sorte que s'il arrivait à une femme de coucher avec un autre que son mari, ou à un mari de coucher avec une autre que sa femme... Mais cela n'arrive point, car puisqu'il est là et que cela lui déplaît, il sait les en empêcher.

L'AUMÔNIER. Non, il les laisse faire, et ils pèchent contre la loi de Dieu, car c'est ainsi que nous appelons le grand ouvrier ; contre la loi du pays, et nous commettons un crime.

OROU. Je serais fâché de t'offenser par mes discours, mais si tu le permettais, je te dirais mon avis.

L'AUMÔNIER. Parle.

OROU. Ces préceptes singuliers, je les trouve opposés à la nature, contraires à la raison, faits pour multiplier les crimes, et fâcher à tout moment le vieil ouvrier qui a tout fait sans tête, sans mains et sans outils ; qui est partout et qu'on ne voit nulle part ; qui dure aujourd'hui et demain et qui n'a pas un jour de plus ; qui commande et qui n'est pas obéi ; qui peut empêcher et qui n'empêche pas[1]. Contraires à la nature, parce qu'ils supposent qu'un être sentant, pensant et libre peut être la propriété d'un être semblable à lui. Sur quoi ce droit serait-il fondé ? Ne vois-tu pas qu'on a confondu dans ton pays la chose qui n'a ni sensibilité, ni pensée, ni désir, ni volonté, qu'on quitte, qu'on prend, qu'on garde, qu'on échange, sans qu'elle souffre et sans qu'elle se plaigne, avec la chose qui ne s'échange point, qui ne s'acquiert point, qui a liberté, volonté, désir, qui peut se donner ou se refuser pour un moment, se donner ou se refuser pour toujours, qui se plaint et qui souffre, et qui ne saurait devenir un effet de commerce[2] sans qu'on oublie son caractère et qu'on fasse violence à la nature ? Contraires à la loi générale des êtres ; rien en effet te paraît-il plus insensé qu'un précepte qui proscrit le changement qui est en nous, qui commande une constance qui n'y peut être, et qui viole la nature et la liberté du mâle et de la femelle en les enchaînant pour jamais l'un à l'autre ; qu'une fidélité qui borne la plus capricieuse des jouissances à un même individu ; qu'un serment d'immutabilité[1] de deux êtres de chair, à la face d'un ciel qui n'est pas un instant le même, sous des antres qui menacent ruine, au bas d'une roche qui tombe en poudre, au pied d'un arbre qui se gerce[2], sur une pierre qui s'ébranle ? Crois-moi, vous avez rendu la condition de l'homme pire que celle de l'animal. Je ne sais ce que c'est que ton grand ouvrier, mais je me réjouis qu'il n'ait point parlé à nos pères, et je souhaite qu'il ne parle point à nos enfants, car il pourrait par hasard leur dire les mêmes sottises, et ils feraient peut-être celle de les croire. Hier, en soupant, tu nous as entretenus de magistrats et de prêtres. Je ne sais quels sont ces personnages que tu appelles magistrats et prêtres, dont l'autorité règle votre conduite ; mais, dis-moi, sont-ils maîtres du bien et du mal ? Peuvent-ils faire que ce qui est juste soit injuste, et que ce qui est injuste soit juste ? Dépend-il d'eux d'attacher le bien à des actions nuisibles et le mal à des actions innocentes ou utiles ? Tu ne saurais le penser, car à ce compte il n'y aurait ni vrai ni faux, ni bon ni mauvais, ni beau ni laid, du moins que ce qu'il plairait à ton grand ouvrier, à tes magistrats, à tes prêtres de prononcer tel ; et d'un moment à l'autre tu serais obligé de changer d'idées et de conduite. Un jour on te dirait de la part de l'un de tes trois maîtres[1], Tue, et tu serais obligé en conscience de tuer ; un autre jour, Vole, et tu serais tenu de voler ; ou Ne mange pas de ce fruit, et tu n'oserais en manger ; Je te défends ce légume ou cet animal, et tu te garderais d'y toucher. Il n'y a point de bonté qu'on ne pût t'interdire, point de méchanceté qu'on ne pût t'ordonner ; et où en serais-tu réduit, si tes trois maîtres, peu d'accord entre eux, s'avisaient de te permettre, de t'enjoindre et de te défendre la même chose, comme je pense qu'il arrive souvent ? Alors pour plaire au prêtre, il faudra que tu te brouilles avec le magistrat ; pour satisfaire le magistrat, il faudra que tu mécontentes le grand ouvrier, [et pour te rendre agréable au grand ouvrier,[2]] il faudra que tu renonces à la nature. Et sais-tu ce qui en arrivera ? c'est que tu les mépriseras tous les trois, et que tu ne seras ni homme, ni citoyen, ni pieux, que tu ne seras rien ; que tu seras mal avec toutes les sortes d'autorité, mal avec toi-même, méchant, tourmenté par ton cœur, persécuté par tes maîtres insensés et malheureux, comme je te vis hier au soir lorsque je te présentai mes filles et que tu t'écriais : Mais ma religion ! mais mon état ! Veux-tu savoir en tout temps et en tout lieu ce qui est bon et mauvais ? attache-toi à la nature des choses et des actions, à tes rapports avec ton semblable, à l'influence de ta conduite sur ton utilité particulière et le bien général. Tu es en délire, si tu crois qu'il y ait rien, soit en haut, soit en bas, dans l'univers qui puisse ajouter ou retrancher aux lois de la nature. Sa volonté éternelle est que le bien soit préféré au mal et le bien général au bien particulier. Tu ordonneras le contraire, mais tu ne seras pas obéi. Tu multiplieras les malfaiteurs et les malheureux par la crainte, par le châtiment et par les remords ; tu dépraveras les consciences, tu corrompras les esprits : ils ne sauront plus ce qu'ils ont à faire ou à éviter ; troublés dans l'état d'innocence, tranquilles dans le forfait, ils auront perdu de vue l'étoile polaire de leur chemin. Réponds-moi sincèrement ; en dépit des ordres exprès de tes trois législateurs, un jeune homme dans ton pays ne couche-t-il jamais sans leur permission avec une jeune fille ?

L'AUMÔNIER. Je mentirais, si je te l'assurais.

OROU. La femme qui a juré de n'appartenir qu'à son mari, ne se donne-t-elle point à un autre ?

L'AUMÔNIER. Rien n'est plus commun.

OROU. Tes législateurs sévissent ou ne sévissent pas. S'ils sévissent, ce sont des bêtes féroces qui battent la nature. S'ils ne sévissent pas, ce sont des imbéciles qui ont exposé au mépris leur autorité par une défense inutile.

L'AUMÔNIER. Les coupables qui échappent à la sévérité des lois, sont châtiés par le blâme général.

OROU. C'est-à-dire que la justice s'exerce par le défaut de sens commun de toute la nation, et que c'est la folie de l'opinion qui supplée aux lois.

L'AUMÔNIER. La fille déshonorée ne trouve plus de mari.

OROU. Déshonorée ! et pourquoi ?

L'AUMÔNIER. La femme infidèle est plus ou moins méprisée.

OROU. Méprisée ! et pourquoi ?

L'AUMÔNIER. Le jeune homme s'appelle un lâche séducteur.

OROU. Un lâche ! un séducteur ! et pourquoi ?

L'AUMÔNIER. Le père, la mère et l'enfant sont désolés. L'époux volage est un libertin ; l'époux trahi partage la honte de sa femme.

OROU. Quel monstrueux tissu d'extravagances tu m'exposes là ! et encore tu ne me dis pas tout ; car aussitôt qu'on s'est permis de disposer à son gré des idées de justice et de propriété, d'ôter ou de donner un caractère arbitraire aux choses, d'unir aux actions ou d'en séparer le bien et le mal, sans consulter que le caprice, on se blâme, on s'accuse, on se suspecte, on se tyrannise, on est envieux, on est jaloux, on se trompe, on s'afflige, on se cache, on dissimule, on s'épie, on se surprend, on se querelle, on ment ; les filles en imposent à leurs parents, les maris à leurs femmes, les femmes à leurs maris ; des filles, oui, je n'en doute pas, des filles étoufferont leurs enfants, des pères soupçonneux mépriseront et négligeront les leurs, des mères s'en sépareront et les abandonneront à la merci du sort, et le crime et la débauche se montreront sous toutes sortes de formes. Je sais tout cela comme si j'avais vécu parmi vous ; cela est parce que cela doit être, et la société dont votre chef nous vante le bel ordre, ne sera qu'un ramas ou d'hypocrites qui foulent secrètement aux pieds les lois ; ou d'infortunés qui sont eux-mêmes les instruments de leur supplice en s'y soumettant ; ou d'imbéciles en qui le préjugé a tout à fait étouffé la voix de la nature ; ou d'êtres mal organisés en qui la nature ne réclame pas ses droits.

L'AUMÔNIER. Cela ressemble. Mais vous ne vous mariez donc point ?

OROU. Nous nous marions.

L'AUMÔNIER. Qu'est-ce que votre mariage ?

OROU. Le consentement d'habiter une même cabane et de coucher dans un même lit, tant que nous nous y trouvons bien.

L'AUMÔNIER. Et lorsque vous vous y trouvez mal ?

OROU. Nous nous séparons.

L'AUMÔNIER. Que deviennent vos enfants ?

OROU. Ô étranger ! ta dernière question achève de me déceler la profonde misère de ton pays. Sache, mon ami, qu'ici la naissance d'un enfant est toujours un bonheur et sa mort un sujet de regrets et de larmes. Un enfant est un bien précieux, parce qu'il doit devenir un homme ; aussi en avons-nous un tout autre soin que de nos plantes et de nos animaux. Un enfant qui naît occasionne la joie domestique et publique, c'est un accroissement de fortune pour la cabane et de force pour la nation. Ce sont des bras et des mains de plus dans Otaïti : nous voyons en lui un agriculteur, un pêcheur, un chasseur, un soldat, un époux, un père. En repassant de la cabane de son mari dans celle de ses parents, une femme emmène avec elle ses enfants qu'elle avait apportés en dot ; on partage ceux qui sont nés pendant la cohabitation commune, et l'on compense autant qu'il est possible les mâles par les femelles, en sorte qu'il reste à chacun à peu près un nombre égal de filles et de garçons.

L'AUMÔNIER. Mais des enfants sont longtemps à charge avant que de rendre service.

OROU. Nous destinons à leur entretien et à la subsistance des vieillards une sixième partie de tous les fruits du pays. Ce tribut les suit partout. Ainsi tu vois que plus la famille de l'Otaïtien est nombreuse, plus elle est riche.

L'AUMÔNIER. Une sixième partie !

OROU. C'est un moyen sûr d'encourager la population et d'intéresser au respect de la vieillesse et à la conservation des enfants.

L'AUMÔNIER. Vos époux se reprennent-ils quelquefois ?

OROU. Très souvent. Cependant la durée la plus courte d'un mariage est d'une lune à l'autre.

L'AUMÔNIER. À moins que la femme ne soit grosse, alors la cohabitation est au moins de neuf mois.

OROU. Tu te trompes ; la paternité, comme le tribut, suit son enfant partout.

L'AUMÔNIER. Tu m'as parlé d'enfants qu'une femme apporte en dot à son mari.

OROU. Assurément. Voilà ma fille aînée qui a trois enfants ; ils marchent, ils sont sains, ils sont beaux, ils promettent d'être forts. Lorsqu'il lui prendra fantaisie de se marier, elle les emmènera, ils sont siens ; son mari les recevra avec joie, et sa femme ne lui en serait que plus agréable, si elle était enceinte d'un quatrième.

L'AUMÔNIER. De lui ?

OROU. De lui ou d'un autre. Plus nos filles ont d'enfants, plus elles sont recherchées ; plus nos garçons sont vigoureux et beaux, plus ils sont riches. Aussi autant nous sommes attentifs à préserver les unes de l'approche de l'homme, les autres du commerce de la femme avant l'âge de fécondité, autant nous les exhortons à produire lorsque les garçons sont pubères et les filles nubiles. Tu ne saurais croire l'importance du service que tu auras rendu à ma fille Thia, si tu lui as fait un enfant. Sa mère ne lui dira plus à chaque lune : Mais, Thia, à quoi penses-tu donc ? tu ne deviens point grosse. Tu as dix-neuf ans, tu devrais avoir déjà deux enfants, et tu n'en as point. Quel est celui qui se chargera de toi ? Si tu perds ainsi tes jeunes ans, que feras-tu dans ta vieillesse ? Thia, il faut que tu aies quelques défauts qui éloignent de toi les hommes ; corrige-toi, mon enfant. À ton âge j'avais été trois fois mère.

L'AUMÔNIER. Quelles précautions prenez-vous pour garder vos filles et vos garçons adolescents ?

OROU. C'est l'objet principal de l'éducation domestique et le point le plus important des mœurs publiques. Nos garçons jusqu'à l'âge de vingt-deux ans, deux ou trois ans au-delà de la puberté, restent couverts d'une longue tunique et les reins ceints d'une petite chaîne. Avant que

d'être nubiles, nos filles n'oseraient sortir sans
un voile blanc. Ôter sa chaîne, relever son voile
est une faute qui se commet rarement, parce
que nous leur en apprenons de bonne heure les
fâcheuses conséquences. Mais au moment où le
mâle a pris toute sa force, où les symptômes virils
ont de la continuité, et où l'effusion fréquente et
la qualité de la liqueur séminale nous rassurent ;
au moment où la jeune fille se fane, s'ennuie, est
d'une maturité propre à concevoir des désirs, à
en inspirer et à les satisfaire avec utilité, le père
détache la chaîne à son fils et lui coupe l'ongle du
doigt du milieu de la main droite ; la mère relève
le voile de sa fille. L'un peut solliciter une femme
et en être sollicité ; l'autre se promener publiquement le visage découvert et la gorge nue, accepter
ou refuser les caresses d'un homme ; on indique
seulement d'avance au garçon les filles, à la fille
les garçons qu'ils doivent préférer. C'est une grande
fête que celle de l'émancipation d'une fille ou d'un
garçon. Si c'est une fille, la veille, les jeunes garçons se rassemblent en foule autour de la cabane,
et l'air retentit pendant toute la nuit du chant des
voix et du son des instruments. Le jour, elle est
conduite par son père et par sa mère dans une
enceinte où l'on danse et où l'on fait l'exercice
du saut, de la lutte et de la course. On déploie
l'homme nu devant elle sous toutes les faces et
dans toutes les attitudes. Si c'est un garçon, ce
sont les jeunes filles qui font en sa présence les
frais et les honneurs de la fête et exposent à ses
regards la femme nue sans réserve et sans secret[1].

Le reste de la cérémonie s'achève sur un lit de feuilles, comme tu l'as vu à ta descente parmi nous[1]. À la chute du jour, la fille rentre dans la cabane de ses parents, ou passe dans la cabane de celui dont elle a fait choix et elle y reste tant qu'elle s'y plaît.

L'AUMÔNIER. Ainsi cette fête est ou n'est point un jour de mariage ?

OROU. Tu l'as dit.

A. Qu'est-ce que je vois là en marge ?

B. C'est une note où le bon aumônier dit que les préceptes des parents sur le choix des garçons et des filles étaient pleins de bon sens et d'observations très fines et très utiles, mais qu'il a supprimé ce catéchisme qui aurait paru à des gens aussi corrompus et aussi superficiels que nous d'une licence impardonnable ; ajoutant toutefois que ce n'était pas sans regret qu'il avait retranché des détails où l'on aurait vu premièrement jusqu'où une nation qui s'occupe sans cesse d'un objet important peut être conduite dans ses recherches sans les secours de la physique et de l'anatomie[2]. Secondement, la différence des idées de la beauté[3] dans une contrée où l'on rapporte les formes au plaisir d'un moment[4], et chez un peuple où elles sont appréciées d'après une utilité plus constante. Là, pour être belle, on exige un teint éclatant[5], un grand front, de grands yeux, des traits fins et délicats, une taille légère, une petite bouche, de petites mains, un petit pied. Ici, presque aucun de ces éléments n'entre en calcul ; la femme sur laquelle les regards s'attachent et que le désir poursuit est celle qui promet beaucoup d'enfants, la femme du cardinal d'Ossat[1], et qui les promet actifs, intelligents, courageux, sains et robustes. Il n'y a presque rien de commun entre la Vénus d'Athènes et celle d'Otaïti ; l'une est Vénus galante, l'autre est Vénus féconde. Une Otaïtienne disait un jour avec mépris à une autre femme du pays : Tu es belle, mais tu fais de laids enfants ; je suis laide, mais je fais de beaux enfants, et c'est moi que les hommes préfèrent.

Après cette note de l'aumônier, Orou continue.

A. Avant qu'il reprenne son discours, j'ai une prière à vous faire, c'est de me rappeler une aventure arrivée dans la Nouvelle Angleterre[2].

B. La voici. Une fille, Miss Polly Baker, devenue grosse pour la cinquième fois, fut traduite devant le tribunal de justice de Connecticut[3], près de Boston. La loi condamne toutes les personnes du sexe[4] qui ne doivent le titre de mère qu'au libertinage à une amende ou à une punition corporelle, lorsqu'elles ne peuvent payer l'amende. Miss Polly en entrant dans la salle où les juges étaient assemblés, leur tint ce discours : « Permettez-moi, Messieurs, de vous adresser quelques mots. Je suis une fille malheureuse et pauvre, je n'ai pas le moyen de payer des avocats pour prendre ma défense, et je ne vous retiendrai pas longtemps. Je ne me flatte pas que dans la sentence que vous allez prononcer vous vous écartiez de la loi ; ce que j'ose espérer, c'est que vous daignerez implorer pour moi les bontés du gouvernement et obtenir qu'il me dispense de l'amende.

Voici la cinquième fois, Messieurs, que je parais devant vous pour le même sujet ; deux fois j'ai payé des amendes onéreuses, deux fois j'ai subi une punition publique et honteuse parce que je n'ai pas été en état de payer. Cela peut être conforme à la loi, je ne le conteste point ; mais il y a quelquefois des lois injustes, et on les abroge, il y en a aussi de trop sévères, et la puissance législatrice peut dispenser de leur exécution. J'ose dire que celle qui me condamne est à la fois injuste en elle-même et trop sévère envers moi. Je n'ai jamais offensé personne dans le lieu où je vis, et je défie mes ennemis, si j'en ai quelques-uns, de pouvoir prouver que j'aie fait le moindre tort à un homme, à une femme, à un enfant. Permettez-moi d'oublier un moment que la loi existe, alors je ne conçois pas quel peut être mon crime ; j'ai mis cinq beaux enfants au monde, au péril de ma vie[1], je les ai nourris de mon lait[2], je les ai soutenus par mon travail, et j'aurais fait davantage pour eux, si je n'avais pas payé des amendes qui m'en ont ôté les moyens. Est-ce un crime d'augmenter les sujets de Sa Majesté dans une nouvelle contrée qui manque d'habitants ? Je n'ai enlevé aucun mari à sa femme, ni débauché aucun jeune homme ; jamais on ne m'a accusée de ces procédés coupables, et si quelqu'un se plaint de moi, ce ne peut être que le ministre à qui je n'ai point payé de droits de mariage. Mais est-ce ma faute ? J'en appelle à vous, Messieurs ; vous me supposez sûrement assez de bon sens pour être persuadés que je préférerais l'honorable état de femme à la condition honteuse dans laquelle j'ai vécu jusqu'à présent. J'ai toujours désiré et je désire encore de me marier, et je ne crains point de dire que j'aurais la bonne conduite, l'industrie[1] et l'économie convenables à une femme, comme j'en ai la fécondité. Je défie qui que ce soit de dire que j'aie refusé de m'engager dans cet état. Je consentis à la première et seule proposition qui m'en ait été faite, j'étais vierge encore ; j'eus la simplicité de confier mon honneur à un homme qui n'en avait point, il me fit mon premier enfant et m'abandonna. Cet homme, vous le connaissez tous, il est actuellement magistrat comme vous et s'assied à vos côtés[2] ; j'avais espéré qu'il paraîtrait aujourd'hui au tribunal et qu'il aurait intéressé votre pitié en ma faveur, en faveur d'une malheureuse qui ne l'est que par lui ; alors j'aurais été incapable de l'exposer à rougir en rappelant ce qui s'est passé entre nous. Ai-je tort de me plaindre aujourd'hui de l'injustice des lois ? La première cause de mes égarements, mon séducteur, est élevé au pouvoir et aux honneurs par ce même gouvernement qui punit mes malheurs par le fouet et par l'infamie. On me répondra que j'ai transgressé les préceptes de la religion ; si mon offense est contre Dieu, laissez-lui le soin de m'en punir ; vous m'avez déjà exclue de la communion de l'Église, cela ne suffit-il pas ? Pourquoi au supplice de l'enfer que vous croyez m'attendre dans l'autre monde ajoutez-vous dans celui-ci les amendes et le fouet ? Pardonnez, Messieurs, ces réflexions ; je ne suis point un théologien, mais j'ai peine à croire que ce me soit un grand crime d'avoir donné le jour à de beaux enfants que Dieu a doués d'âmes immortelles et qui l'adorent. Si vous faites des lois qui changent la nature des actions et en font des crimes, faites-en contre les célibataires dont le nombre augmente tous les jours, qui portent la séduction et l'opprobre dans les familles, qui trompent les jeunes filles comme je l'ai été, et qui les forcent à vivre dans l'état honteux dans lequel je vis au milieu d'une société qui les repousse et les méprise. Ce sont eux qui troublent la tranquillité publique ; voilà des crimes qui méritent plus que le mien l'animadversion[1] des lois. »

Ce discours singulier produisit l'effet qu'en attendait Miss Baker ; ses juges lui remirent[2] l'amende et la peine qui en tient lieu. Son séducteur instruit de ce qui s'était passé, sentit le remords de sa première conduite, il voulut la réparer ; deux jours après il épousa Miss Baker, et fit une honnête femme de celle dont cinq ans auparavant il avait fait une fille publique.

A. Et ce n'est pas là un conte de votre invention ?

B. Non.

A. J'en suis bien aise.

B. Je ne sais si l'abbé Raynal ne rapporte pas le fait et le discours dans son Histoire du Commerce des deux Indes.

A. Ouvrage excellent et d'un ton si différent des précédents, qu'on a soupçonné l'abbé d'y avoir employé des mains étrangères[3].

B. C'est une injustice.

A. Ou une méchanceté. On dépèce le laurier qui ceint la tête d'un grand homme et on le dépèce si bien qu'il ne lui en reste plus qu'une feuille.

B. Mais le temps rassemble les feuilles éparses et refait la couronne.

A. Mais l'homme est mort, il a souffert de l'injure qu'il a reçue de ses contemporains, et il est insensible à la réparation qu'il obtient de la postérité[1].

## IV

OROU. L'heureux moment pour une jeune fille
et pour ses parents que celui où sa grossesse est
constatée ! Elle se lève, elle accourt, elle jette ses
bras autour du cou de sa mère et de son père,
c'est avec des transports d'une joie mutuelle
qu'elle leur annonce et qu'ils apprennent cet événement. Maman, mon papa, embrassez-moi, je
suis grosse — Est-il bien vrai ? — Très vrai. — Et
de qui l'êtes-vous ? — Je le suis d'un tel.

L'AUMÔNIER. Comment peut-elle nommer le père
de son enfant ?

OROU. Pourquoi veux-tu qu'elle l'ignore ? Il en
est de la durée de nos amours comme de celle de
nos mariages ; elle est au moins d'une lune à la
lune suivante.

L'AUMÔNIER. Et cette règle est bien scrupuleusement observée ?

OROU. Tu vas en juger. D'abord l'intervalle de
deux lunes n'est pas long ; mais lorsque deux pères
ont une prétention bien fondée à la formation d'un
enfant, il n'appartient plus à sa mère.

L'AUMÔNIER. À qui appartient-il donc ?

OROU. À celui des deux à qui il lui plaît de le donner. Voilà tout son privilège ; et un enfant étant par lui-même un objet d'intérêt et de richesse, tu conçois que parmi nous les libertines sont rares et que les jeunes garçons s'en éloignent.

L'AUMÔNIER. Vous avez donc aussi vos libertines ? J'en suis bien aise.

OROU. Nous en avons même de plus d'une sorte. Mais tu m'écartes de mon sujet. Lorsqu'une de nos filles est grosse, si le père de l'enfant est un jeune homme beau, bien fait, brave, intelligent et laborieux, l'espérance que l'enfant héritera des vertus de son père renouvelle l'allégresse. Notre enfant n'a honte que d'un mauvais choix. Tu dois concevoir quel prix nous attachons à la santé, à la beauté, à la force, à l'industrie, au courage ; tu dois concevoir comment, sans que nous nous en mêlions, les prérogatives du sang doivent s'éterniser parmi nous. Toi, qui as parcouru différentes contrées, dis-moi si tu as remarqué dans aucune autant de beaux hommes et autant de belles femmes que dans Otaïti. Regarde-moi, comment me trouves-tu ? Eh bien, il y a dix mille hommes ici plus grands, aussi robustes, mais pas un plus brave que moi. Aussi les mères me désignent-elles souvent à leurs filles.

L'AUMÔNIER. Mais de tous ces enfants que tu peux avoir faits hors de ta cabane, que t'en revient-il ?

OROU. Le quatrième mâle ou femelle. Il s'est établi parmi nous une circulation d'hommes, de femmes et d'enfants, ou de bras de tout âge et de toute fonction, qui est bien d'une autre importance que celle de vos denrées qui n'en sont que le produit.

L'AUMÔNIER. Je le conçois. Qu'est-ce que c'est que ces voiles noirs que j'ai rencontrés quelquefois ?

OROU. Le signe de la stérilité, vice de naissance ou suite de l'âge avancé. Celle qui quitte ce voile et se mêle avec les hommes est une libertine. Celui qui relève ce voile et s'approche de la femme stérile est un libertin.

L'AUMÔNIER. Et ces voiles gris[1] ?

OROU. Le signe de la maladie périodique. Celle qui quitte ce voile et se mêle avec les hommes est une libertine. Celui qui le relève et s'approche de la femme malade est un libertin.

L'AUMÔNIER. Avez-vous des châtiments pour ce libertinage ?

OROU. Point d'autres que le blâme.

L'AUMÔNIER. Un père peut-il coucher avec sa fille, une mère avec son fils, un frère avec sa sœur, un mari avec la femme d'un autre ?

OROU. Pourquoi non ?

L'AUMÔNIER. Passe pour la fornication[2] ; mais l'inceste ! mais l'adultère !

OROU. Qu'est-ce que tu veux dire avec tes mots fornication, inceste, adultère ?

L'AUMÔNIER. Des crimes, des crimes énormes[3] pour l'un desquels l'on brûle dans mon pays.

OROU. Qu'on brûle ou qu'on ne brûle pas dans ton pays, peu m'importe. Mais tu n'accuseras pas les mœurs d'Europe par celles d'Otaïti, ni par conséquent les mœurs d'Otaïti par celles de ton pays. Il nous faut une règle plus sûre ; et quelle sera cette règle ? En connais-tu une autre que le bien général et l'utilité particulière ? À présent dis-moi ce que ton crime inceste a de contraire à ces deux fins de nos actions. Tu te trompes, mon ami, si tu crois qu'une loi une fois publiée, un mot ignominieux inventé, un supplice décerné, tout est dit. Réponds-moi donc, Qu'entends-tu par inceste ?

L'AUMÔNIER. Mais un inceste...

OROU. Un inceste... Y a-t-il longtemps que ton grand ouvrier sans tête, sans mains et sans outils, a fait le monde ?

L'AUMÔNIER. Non.

OROU. Fit-il toute l'espèce humaine à la fois ?

L'AUMÔNIER. Il créa seulement une femme et un homme.

OROU. Eurent-ils des enfants ?

L'AUMÔNIER. Assurément.

OROU. Suppose que ces deux premiers parents n'aient eu que des filles et que leur mère soit morte la première, ou qu'ils n'aient eu que des garçons et que la femme ait perdu son mari.

L'AUMÔNIER. Tu m'embarrasses ; mais tu as beau dire, l'inceste est un crime abominable, et parlons d'autre chose.

OROU. Cela te plaît à dire. Je me tais, moi, tant que tu ne m'auras pas dit ce que c'est que le crime abominable inceste.

L'AUMÔNIER. Eh bien, je t'accorde que peut-être l'inceste ne blesse en rien la nature, mais ne suffit-il pas qu'il menace la constitution politique ? Que deviendraient la sûreté d'un chef et la tranquillité d'un État, si toute une nation composée de plusieurs millions d'hommes se trouvait rassemblée autour d'une cinquantaine de pères de famille ?

OROU. Le pis-aller, c'est qu'où il n'y a qu'une grande société, il y en aurait cinquante petites : plus de bonheur et un crime de moins.

L'AUMÔNIER. Je crois cependant que même ici un fils couche rarement avec sa mère.

OROU. À moins qu'il n'ait beaucoup de respect pour elle et une tendresse qui lui fasse oublier la disparité d'âge et préférer une femme de quarante ans à une fille de dix-neuf.

L'AUMÔNIER. Et le commerce des pères avec leurs filles ?

OROU. Guère plus fréquent, à moins que la fille ne soit laide et peu recherchée. Si son père l'aime, il s'occupe à lui préparer sa dot en enfants.

L'AUMÔNIER. Cela me fait imaginer que le sort des femmes que la nature a disgraciées ne doit pas être heureux dans Otaïti.

OROU. Cela me prouve que tu n'as pas une haute opinion de la générosité de nos jeunes gens.

L'AUMÔNIER. Pour les unions des frères et des sœurs, je ne doute pas qu'elles ne soient très communes.

OROU. Et très approuvées[1].

L'AUMÔNIER. À t'entendre, cette passion qui produit tant de crimes et de maux dans nos contrées, serait ici tout à fait innocente.

OROU. Étranger, tu manques de jugement et de mémoire. De jugement, car partout où il y a défense il faut qu'on soit tenté de faire la chose défendue et qu'on la fasse. De mémoire, puisque tu ne te souviens plus de ce que je t'ai dit. Nous avons de vieilles dissolues qui sortent la nuit sans leur voile noir et reçoivent des hommes lorsqu'il ne peut rien résulter de leur approche ; si elles sont reconnues ou surprises, l'exil au nord de l'île ou l'esclavage est leur châtiment. Des filles précoces qui relèvent leur voile blanc à l'insu de leurs parents, et nous avons pour elles un lieu fermé dans la cabane. Des jeunes hommes qui déposent leur chaîne avant le temps prescrit par la nature et par la loi, et nous en réprimandons leurs parents. Des femmes à qui le temps de la grossesse paraît long ; des femmes et des filles peu scrupuleuses à garder leur voile gris ; mais dans le fait nous n'attachons pas une grande importance à toutes ces fautes, et tu ne saurais croire combien l'idée de richesse particulière ou publique unie dans nos têtes à l'idée de population[1] épure nos mœurs sur ce point.

L'AUMÔNIER. La passion de deux hommes pour une même femme[2], ou le goût de deux femmes ou de deux filles pour un même homme n'occasionnent-ils point de désordres ?

OROU. Je n'en ai pas encore vu quatre exemples. Le choix de la femme ou celui de l'homme finit tout. La violence d'un homme serait une faute grave, mais il faut une plainte publique, et il est presque inouï qu'une fille ou qu'une femme se soit plainte. La seule chose que j'aie remarquée, c'est que nos femmes ont moins de pitié des hommes laids que nos jeunes gens des femmes disgraciées, et nous n'en sommes pas fâchés.

L'AUMÔNIER. Vous ne connaissez guère la jalousie, à ce que je vois ; mais la tendresse maritale, l'amour paternel, ces deux sentiments si puissants et si doux, s'ils ne sont pas étrangers ici, y doivent être assez faibles.

OROU. Nous y avons suppléé par un autre qui est tout autrement général, énergique et durable, l'intérêt. Mets la main sur la conscience, laisse là cette fanfaronnade de vertu qui est sans cesse sur les lèvres de tes camarades et qui ne réside pas au fond de leur cœur ; dis-moi si dans quelque contrée que ce soit il y a un père qui, sans la honte qui le retient, n'aimât mieux perdre son enfant, un mari qui n'aimât mieux perdre sa femme que sa fortune et l'aisance de toute sa vie. Sois sûr que partout où l'homme sera attaché à la conservation de son semblable comme à son lit, à sa santé, à son repos, à sa cabane, à ses fruits, à ses champs, il fera pour lui tout ce qu'il est possible de faire. C'est ici que les pleurs trempent la couche d'un enfant qui souffre ; c'est ici que les mères sont soignées dans la maladie ; c'est ici qu'on prise une femme féconde, une fille nubile, un garçon adolescent ; c'est ici qu'on s'occupe de leur institution[1], parce que leur conservation est toujours un accroissement, et leur perte toujours une diminution de fortune.

L'AUMÔNIER. Je crains bien que ce sauvage n'ait raison. Le paysan misérable de nos contrées qui excède sa femme pour soulager son cheval, laisse périr son enfant sans secours, et appelle le médecin pour son bœuf...

OROU. Je n'entends pas trop ce que tu viens de dire ; mais à ton retour dans ta patrie si policée tâche d'y introduire ce ressort, et c'est alors qu'on y sentira le prix de l'enfant qui naît et l'importance de la population. Veux-tu que je te révèle un secret ? mais prends garde qu'il ne t'échappe. Vous arrivez, nous vous abandonnons nos femmes et nos filles, vous vous en étonnez, vous nous en témoignez une gratitude qui nous fait rire. Vous nous remerciez, lorsque nous asseyons sur toi et sur tes compagnons la plus forte de toutes les impositions. Nous ne t'avons point demandé d'argent, nous ne nous sommes point jetés sur tes marchandises, nous avons méprisé tes denrées ; mais nos femmes et nos filles sont venues exprimer le sang de tes veines. Quand tu t'éloigneras, tu nous auras laissé des enfants ; ce tribut levé sur ta personne, sur ta propre substance, à ton avis n'en vaut-il pas bien un autre ? et si tu veux en apprécier la valeur, imagine que tu aies deux cents lieues de côtes à courir, et qu'à chaque vingt milles on te mette à pareille contribution. Nous avons des terres immenses en friche, nous manquons de bras, et nous t'en avons demandé : nous avons des calamités épidémiques à réparer, et nous t'avons employé à réparer le vide qu'elles laisseront ; nous avons des ennemis voisins à combattre, un besoin de soldats, et nous t'avons prié de nous en faire ; le nombre de nos femmes et de nos filles est trop grand pour celui des hommes, et nous t'avons associé à notre tâche ; parmi ces femmes et ces filles il y en a dont nous n'avons jamais pu obtenir d'enfants, et ce sont celles que nous avons exposées à vos premiers embrassements. Nous avons à payer une redevance en hommes, à un voisin oppresseur, c'est toi et tes camarades qui nous défrayeront, et dans cinq à six ans nous lui enverrons vos fils, s'ils valent moins que les nôtres. Plus robustes, plus sains que vous, nous nous sommes aperçus au premier coup d'œil que vous nous surpassiez en intelligence, et sur-le-champ nous vous avons destiné quelques-unes de nos femmes et de nos filles les plus belles à recueillir la semence d'une race meilleure que la nôtre. C'est un essai que nous avons tenté et qui pourra nous réussir. Nous avons tiré de toi et des tiens le seul parti que nous en pouvions tirer, et crois que tout sauvages que nous sommes, nous savons aussi calculer. Va où tu voudras, et tu trouveras presque toujours l'homme aussi fin que toi. Il ne te donnera jamais que ce qui ne lui est bon à rien et te demandera toujours ce qui lui est utile : s'il te présente un morceau d'or pour un morceau de fer, c'est qu'il ne fait aucun cas de l'or et qu'il prise le fer. Mais dis-moi donc pourquoi tu n'es pas vêtu comme les autres ? Que signifie cette casaque longue qui t'enveloppe de la tête aux pieds et ce sac pointu que tu laisses tomber sur tes épaules ou que tu ramènes sur tes oreilles[1] ?

L'AUMÔNIER. C'est que tel que tu me vois, je me suis engagé dans une société d'hommes qu'on appelle dans mon pays des moines. Le plus sacré de leurs vœux est de n'approcher d'aucune femme et de ne point faire d'enfants.

OROU. Que faites-vous donc ?

L'AUMÔNIER. Rien.

OROU. Et ton magistrat souffre cette espèce de paresseux, la pire de toutes ?

L'AUMÔNIER. Il fait plus, il la respecte et la fait respecter.

OROU. Ma première pensée était que la nature, quelque accident ou un art cruel vous avait privés de la faculté de produire votre semblable, et que par pitié on aimait mieux vous laisser vivre que de vous tuer. Mais, Moine, ma fille m'a dit que tu étais un homme et un homme aussi robuste qu'un Otaïtien, et qu'elle espérait que tes caresses réitérées ne seraient pas infructueuses. À présent que j'ai compris pourquoi tu t'es écrié hier au soir Mais ma religion ! mais mon état ! pourrais-tu m'apprendre le motif de la faveur et du respect que les magistrats vous accordent ?

L'AUMÔNIER. Je l'ignore.

OROU. Tu sais au moins par quelle raison, étant homme, tu t'es librement condamné à ne le pas être ?

L'AUMÔNIER. Cela serait trop long et trop difficile à t'expliquer.

OROU. Et ce vœu de stérilité, le moine y est-il bien fidèle ?

L'AUMÔNIER. Non.

OROU. J'en étais sûr. Avez-vous aussi des moines femelles ?

L'AUMÔNIER. Oui.

OROU. Aussi sages que les moines mâles ?

L'AUMÔNIER. Plus renfermées, elles sèchent de douleur, périssent d'ennui[1].

OROU. Et l'injure faite à la nature est vengée. Ô le vilain pays ! si tout y est ordonné comme ce que tu m'en dis, vous êtes plus barbares que nous. —

Le bon aumônier raconte qu'il passa le reste de la journée à parcourir l'île, à visiter les cabanes, et que le soir, après souper, le père et la mère l'ayant supplié de coucher avec la seconde de leurs filles, Palli s'était présentée dans le même déshabillé que Thia, et qu'il s'était écrié plusieurs fois pendant la nuit[2] : Mais ma religion ! mais mon état ! que la troisième nuit il avait été agité des mêmes remords avec Asto l'aînée, et que la quatrième, il l'avait accordée par honnêteté[3] à la femme de son hôte.

A. J'estime cet aumônier poli.

B. Et moi beaucoup davantage les mœurs des Otaïtiens et le discours d'Orou.

# SUITE
## DU DIALOGUE ENTRE A ET B

A. Quoiqu'un peu modelé à l'européenne.

B. Je n'en doute pas. —

Ici le bon aumônier se plaint de la brièveté de son séjour dans Otaïti et de la difficulté de mieux connaître les usages d'un peuple assez sage pour s'être arrêté de lui-même à la médiocrité[1], ou assez heureux pour habiter un climat dont la fertilité lui assurait un long engourdissement ; assez actif pour s'être mis à l'abri des besoins absolus de la vie, et assez indolent pour que son innocence, son repos et sa félicité n'eussent rien à redouter d'un progrès trop rapide de ses lumières. Rien n'y était mal par l'opinion ou par la loi que ce qui était mal de sa nature. Les travaux et les récoltes s'y faisaient en commun. L'acception du mot propriété y était très étroite. La passion de l'amour, réduite à un simple appétit physique, n'y produisait aucun de nos désordres. L'île entière offrait l'image d'une seule famille nombreuse dont chaque cabane représentait les divers appartements d'une de nos grandes maisons. Il

finit par protester que ces Otaïtiens seront toujours présents à sa mémoire ; qu'il avait été tenté
de jeter ses vêtements dans le vaisseau et de passer le reste de ses jours parmi eux, et qu'il craint
bien de se repentir plus d'une fois de ne l'avoir pas
fait.

A. Malgré cet éloge, quelles conséquences utiles
à tirer des mœurs et des usages bizarres d'un
peuple non civilisé ?

B. Je vois qu'aussitôt que quelques causes physiques, telles, par exemple, que la nécessité de
vaincre, l'ingratitude du sol ont mis en jeu la
sagacité de l'homme, cet élan le conduit bien au-
delà du but, et que le terme du besoin passé, on
est porté dans l'océan sans bornes des fantaisies,
d'où l'on ne se tire plus. Puisse l'heureux Otaïtien
s'arrêter où il en est ! Je vois que, excepté dans
ce recoin écarté de notre globe, il n'y a point eu
de mœurs, et qu'il n'y en aura peut-être jamais
nulle part.

A. Qu'entendez-vous donc par des mœurs ?

B. J'entends une soumission générale et une
conduite conséquente à des lois bonnes ou mauvaises. Si les lois sont bonnes, les mœurs sont
bonnes ; si les lois sont mauvaises, les mœurs
sont mauvaises. Si les lois, bonnes ou mauvaises,
ne sont point observées, la pire condition d'une
société, il n'y a point de mœurs. Or comment
voulez-vous que des lois s'observent quand elles
se contredisent ? Parcourez l'histoire des siècles
et des nations tant anciennes que modernes, et
vous trouverez les hommes assujettis à trois

codes[1], le code de la nature, le code civil et le code religieux, et contraints d'enfreindre alternativement ces trois codes qui n'ont jamais été d'accord ; d'où il est arrivé qu'il n'y a eu dans aucune contrée, comme Orou l'a deviné de la nôtre, ni homme, ni citoyen, ni religieux.

A. D'où vous conclurez sans doute qu'en fondant la morale sur les rapports éternels qui subsistent entre les hommes, la loi religieuse devient peut-être superflue, et que la loi civile ne doit être que l'énonciation de la loi de nature.

B. Et cela sous peine de multiplier les méchants, au lieu de faire des bons.

A. Ou que si l'on juge nécessaire de les conserver toutes trois, il faut que les deux dernières ne soient que des calques rigoureux de la première que nous apportons gravée au fond de nos cœurs et qui sera toujours la plus forte.

B. Cela n'est pas exact. Nous n'apportons en naissant qu'une similitude d'organisation avec d'autres êtres, les mêmes besoins, de l'attrait vers les mêmes plaisirs, une aversion commune pour les mêmes peines, ce qui constitue l'homme ce qu'il est et doit fonder la morale qui lui convient.

A. Cela n'est pas aisé.

B. Cela est si difficile que je croirais volontiers le peuple le plus sauvage de la terre, l'Otaïtien qui s'en est tenu scrupuleusement à la loi de nature, plus voisin d'une bonne législation qu'aucun peuple civilisé.

A. Parce qu'il lui est plus facile de se défaire de son trop de rusticité qu'à nous de revenir sur nos pas et de réformer nos abus.

B. Surtout ceux qui tiennent à l'union de l'homme avec la femme.

A. Cela se peut ; mais commençons par le commencement. Interrogeons bonnement la nature, et voyons sans partialité ce qu'elle nous répondra sur ce point.

B. J'y consens.

A. Le mariage est-il dans la nature ?

B. Si vous entendez par le mariage la préférence qu'une femelle accorde à un mâle sur tous les autres mâles, ou celle qu'un mâle donne à une femelle sur toutes les autres femelles, préférence mutuelle en conséquence de laquelle il se forme une union plus ou moins durable qui perpétue l'espèce par la reproduction des individus, le mariage est dans la nature.

A. Je le pense comme vous ; car cette préférence se remarque non seulement dans l'espèce humaine, mais encore dans les autres espèces d'animaux, témoin ce nombreux cortège de mâles qui poursuivent une même femelle, au printemps, dans nos campagnes, et dont un seul obtient le titre de mari. Et la galanterie ?

B. Si vous entendez par galanterie cette variété de moyens énergiques ou délicats que la passion inspire soit au mâle, soit à la femelle, pour obtenir cette préférence qui conduit à la plus douce, la plus importante et la plus générale des jouissances, la galanterie est dans la nature.

A. Je le pense comme vous : témoin toute cette diversité de gentillesses[1] pratiquée par le mâle pour plaire à la femelle, et par la femelle pour irriter la passion et fixer le goût du mâle. Et la coquetterie ?

B. C'est un mensonge qui consiste à simuler une passion qu'on ne sent pas et à promettre une préférence qu'on n'accordera point. Le mâle coquet se joue de la femelle, la femelle coquette se joue du mâle, jeu perfide qui amène quelquefois les catastrophes les plus funestes, manège ridicule dont le trompeur et le trompé sont également châtiés par la perte des instants les plus précieux de leur vie.

A. Ainsi la coquetterie, selon vous, n'est pas dans la nature ?

B. Je ne dis pas cela.

A. Et la constance ?

B. Je ne vous en dirai rien de mieux que ce qu'en a dit Orou à l'aumônier : pauvre vanité de deux enfants qui s'ignorent eux-mêmes et que l'ivresse d'un instant aveugle sur l'instabilité de tout ce qui les entoure.

A. Et la fidélité, ce rare phénomène ?

B. Presque toujours l'entêtement et le supplice de l'honnête homme et de l'honnête femme dans nos contrées ; chimère à Otaïti.

A. La jalousie ?

B. Passion d'un animal indigent et avare qui craint de manquer ; sentiment injuste de l'homme : conséquence de nos fausses mœurs et d'un droit de propriété étendu sur un objet sentant, pensant, voulant et libre.

A. Ainsi la jalousie, selon vous, n'est pas dans la nature ?

B. Je ne dis pas cela. Vices et vertus, tout est également dans la nature[1].

A. Le jaloux est sombre[2].

B. Comme le tyran, parce qu'il en a la conscience.

A. La pudeur ?

B. Mais vous m'engagez là dans un cours de morale galante. L'homme ne veut être ni troublé ni distrait dans ses jouissances ; celles de l'amour sont suivies d'une faiblesse qui l'abandonnerait à la merci de son ennemi. Voilà tout ce qu'il pourrait y avoir de naturel dans la pudeur, le reste est d'institution[3]. L'aumônier remarque dans un troisième morceau que je ne vous ai point lu que l'Otaïtien ne rougit pas des mouvements involontaires qui s'excitent en lui à côté de sa femme, au milieu de ses filles, et que celles-ci en sont spectatrices, quelquefois émues, jamais embarrassées. Aussitôt que la femme devint la propriété de l'homme et que la jouissance furtive d'une fille fut regardée comme un vol, on vit naître les termes pudeur, retenue, bienséance, des vertus et des vices imaginaires, en un mot entre les deux sexes des barrières qui empêchassent de s'inviter réciproquement à la violation des lois qu'on leur avait imposées, et qui produisirent souvent un effet contraire en échauffant l'imagination et en irritant les désirs. Lorsque je vois des arbres plantés autour de nos palais et un vêtement de cou qui cache et montre une partie de la gorge d'une femme, il me semble reconnaître un retour secret vers la forêt et un appel à la liberté première de notre ancienne demeure. L'Otaïtien nous dirait : Pourquoi te caches-tu ? De quoi es-tu honteuse ? Fais-tu le mal quand tu cèdes à l'impulsion la plus auguste de la nature ? Homme, présente-toi franchement, si tu plais ; femme, si cet homme te convient, reçois-le avec la même franchise.

A. Ne vous fâchez pas. Si nous débutons comme des hommes civilisés, il est rare que nous ne finissions pas comme l'Otaïtien.

B. Oui, mais ces préliminaires de convention consument la moitié de la vie d'un homme de génie.

A. J'en conviens ; mais qu'importe, si cet élan pernicieux de l'esprit humain contre lequel vous vous êtes récrié tout à l'heure en est d'autant ralenti ? Un philosophe de nos jours interrogé pourquoi les hommes faisaient la cour aux femmes et non les femmes la cour aux hommes, répondit qu'il était naturel de demander à celui qui pouvait toujours accorder.

B. Cette raison m'a paru de tout temps plus ingénieuse que solide. La nature indécente, si vous voulez, presse indistinctement un sexe vers l'autre, et dans un état de l'homme triste et sauvage qui se conçoit et qui peut-être n'existe nulle part...

A. Pas même à Otaïti ?

B. Non ; l'intervalle qui séparerait un homme d'une femme serait franchi par le plus amoureux. S'ils s'attendent, s'ils se fuient, s'ils se poursuivent, s'ils s'évitent, s'ils s'attaquent, s'ils se défendent, c'est que la passion inégale dans ses progrès[1] ne s'explique pas en eux de la même force ; d'où il arrive que la volupté se répand, se consomme et s'éteint d'un côté, lorsqu'elle commence à peine à s'élever de l'autre, et qu'ils en restent tristes tous deux. Voilà l'image fidèle de ce qui se passerait entre deux êtres libres, jeunes et parfaitement innocents. Mais lorsque la femme a connu par l'expérience ou l'éducation les suites plus ou moins cruelles d'un moment doux, son cœur frissonne à l'approche de l'homme[1]. Le cœur de l'homme ne frissonne point ; ses sens commandent et il obéit. Les sens de la femme s'expliquent et elle craint de les écouter ; c'est l'affaire de l'homme que de la distraire de sa crainte, de l'enivrer et de la séduire. L'homme conserve toute son impulsion naturelle vers la femme ; l'impulsion naturelle de la femme vers l'homme, dirait un géomètre, est en raison composée de la directe de la passion et de l'inverse de la crainte[2], raison qui se complique d'une multitude d'éléments divers dans nos sociétés, éléments qui concourent presque tous à accroître la pusillanimité d'un sexe et la durée de la poursuite de l'autre. C'est une espèce de tactique[3] où les ressources de la défense et les moyens de l'attaque ont marché sur la même ligne. On a consacré[4] la résistance de la femme, on a attaché l'ignominie à la violence de l'homme, violence qui ne serait qu'une injure légère dans Otaïti et qui devient un crime dans nos cités.

A. Mais comment est-il arrivé qu'un acte dont le but est si solennel et auquel la nature nous invite par l'attrait le plus puissant, que le plus grand, le plus doux, le plus innocent des plaisirs, soit devenu la source la plus féconde de notre dépravation et de nos maux ?

B. Orou l'a fait entendre dix fois à l'aumônier. Écoutez-le donc encore et tâchez de le retenir :

C'est par la tyrannie de l'homme qui a converti la possession de la femme en une propriété.

Par les mœurs et les usages qui ont surchargé de conditions l'union conjugale.

Par les lois civiles qui ont assujetti le mariage à une infinité de formalités.

Par la nature de notre société où la diversité des fortunes et des rangs a institué des convenances et des disconvenances.

Par une contradiction bizarre et commune à toutes les sociétés subsistantes où la naissance d'un enfant toujours regardée comme un accroissement de richesse pour la nation, est plus souvent et plus sûrement encore un accroissement d'indigence dans la famille.

Par les vues politiques des souverains qui ont tout rapporté à leur intérêt et à leur sécurité.

Par les institutions religieuses qui ont attaché les noms de vices et de vertus à des actions qui n'étaient susceptibles d'aucune moralité[1].

Combien nous sommes loin de la nature et du bonheur ! L'empire de la nature ne peut être détruit ; on aura beau le contrarier par des obstacles, il durera. Écrivez tant qu'il vous plaira sur des tables d'airain, pour me servir de l'expression du sage Marc-Aurèle, que le frottement voluptueux de deux intestins[2] est un crime, le cœur de l'homme sera froissé entre la menace de votre inscription et la violence de ses penchants ; mais ce cœur indocile ne cessera de réclamer, et cent fois dans le cours de la vie vos caractères effrayants disparaîtront à nos yeux. Gravez sur le marbre : Tu ne mangeras ni de l'ixion ni du griffon ; tu ne connaîtras que ta femme, tu ne seras point le mari de ta sœur[1]... mais vous n'oublierez pas d'accroître les châtiments à proportion de la bizarrerie de vos défenses ; vous deviendrez féroces, et vous ne réussirez point à me dénaturer.

A. Que le code des nations serait court, si on le conformait rigoureusement à celui de la nature ! combien de vices et d'erreurs épargnés à l'homme !

B. Voulez-vous savoir l'histoire abrégée de presque toute notre misère ? La voici. Il existait un homme naturel ; on a introduit au-dedans de cet homme un homme artificiel, et il s'est élevé dans la caverne une guerre continuelle qui dure toute la vie. Tantôt l'homme naturel est le plus fort, tantôt il est terrassé par l'homme moral et artificiel et dans l'un et l'autre cas le triste monstre est tiraillé, tenaillé, tourmenté, étendu sur la roue[2], sans cesse gémissant, sans cesse malheureux, soit qu'un faux enthousiasme de gloire le transporte et l'enivre, ou qu'une fausse ignominie le courbe et l'abatte. Cependant il est des circonstances extrêmes qui ramènent l'homme à sa première simplicité.

A. La misère et la maladie, deux grands exorcistes.

B. Vous les avez nommés. En effet que deviennent alors toutes ces vertus conventionnelles ? Dans la misère l'homme est sans remords ; dans la maladie la femme est sans pudeur.

A. Je l'ai remarqué.

B. Mais un autre phénomène qui ne vous aura pas échappé davantage, c'est que le retour[1] de l'homme artificiel et moral suit pas à pas les progrès de l'état de maladie à l'état de convalescence et de l'état de convalescence à l'état de santé ; le moment où l'infirmité cesse est celui où la guerre intestine recommence, et presque toujours avec désavantage pour l'intrus.

A. Il est vrai. J'ai moi-même éprouvé que l'homme naturel avait dans la convalescence une vigueur funeste pour l'homme artificiel et moral. Mais enfin dites-moi, faut-il civiliser l'homme ou l'abandonner à son instinct ?

B. Faut-il vous répondre net ?

A. Sans doute[2].

B. Si vous vous proposez d'en être le tyran, civilisez-le. Empoisonnez-le de votre mieux d'une morale contraire à la nature ; faites-lui des entraves de toute espèce ; embarrassez ses mouvements de mille obstacles ; attachez-lui des fantômes qui l'effrayent ; éternisez la guerre dans la caverne, et que l'homme naturel y soit toujours enchaîné sous les pieds de l'homme moral. Le voulez-vous heureux et libre ? ne vous mêlez pas de ses affaires, assez d'incidents imprévus le conduiront à la lumière et à la dépravation, et demeurez à jamais convaincu que ce n'est pas pour vous, mais pour

eux que ces sages législateurs vous ont pétri et
maniéré comme vous l'êtes. J'en appelle à toutes
les institutions politiques, civiles et religieuses ;
examinez-les profondément, et je me trompe fort,
ou vous y verrez l'espèce humaine pliée de siècle
en siècle au joug qu'une poignée de fripons se
promettait de lui imposer. Méfiez-vous de celui
qui veut mettre de l'ordre ; ordonner, c'est toujours se rendre le maître des autres en les gênant,
et les Calabrais sont presque les seuls à qui la
flatterie des législateurs n'en ait point encore
imposé[1].

A. Et cette anarchie de la Calabre vous plaît ?

B. J'en appelle à l'expérience, et je gage que leur
barbarie est moins vicieuse que notre urbanité.
Combien de petites scélératesses compensent
ici l'atrocité de quelques grands crimes dont on
fait tant de bruit ! Je considère les hommes non
civilisés comme une multitude de ressorts épars
et isolés. Sans doute s'il arrivait à quelques-uns de
ces ressorts de se choquer, l'un ou l'autre ou tous
les deux se briseraient. Pour obvier à cet inconvénient, un individu d'une sagesse profonde et
d'un génie sublime rassembla ces ressorts et en
composa une machine, et dans cette machine
appelée société tous les ressorts furent rendus
agissants, réagissant[2] les uns contre les autres,
sans cesse fatigués ; et il s'en rompit plus dans un
jour sous l'état de législation qu'il ne s'en rompait
en un an sous l'anarchie de nature. Mais quel fra-
cas, quel ravage, quelle énorme destruction de
petits ressorts, lorsque deux, trois, quatre de

ces énormes machines vinrent à se heurter avec violence !

A. Ainsi vous préféreriez l'état de nature brute et sauvage[1] ?

B. Ma foi, je n'oserais prononcer ; mais je sais qu'on a vu plusieurs fois l'homme des villes se dépouiller et rentrer dans la forêt, et qu'on n'a jamais vu l'homme de la forêt se vêtir et s'établir dans la ville[2].

A. Il m'est venu souvent dans la pensée que la somme des biens et des maux était variable pour chaque individu, mais que le bonheur ou le malheur d'une espèce animale quelconque avait sa limite qu'elle ne pouvait franchir, et que peut-être nos efforts nous rendaient en dernier résultat autant d'inconvénient que d'avantage, en sorte que nous nous étions bien tourmentés pour accroître les deux membres d'une équation entre lesquels il subsistait une éternelle et nécessaire égalité. Cependant je ne doute pas que la vie moyenne de l'homme civilisé ne soit plus longue que la vie moyenne de l'homme sauvage.

B. Et si la durée d'une machine n'est pas une juste mesure de son plus ou moins de fatigue, qu'en concluez-vous[3] ?

A. Je vois qu'à tout prendre, vous inclineriez à croire les hommes d'autant plus méchants et plus malheureux qu'ils sont plus civilisés.

B. Je ne parcourrai pas toutes les contrées de l'univers, mais je vous avertis seulement que vous ne trouverez la condition de l'homme heureuse que dans Otaïti et supportable que dans un recoin de l'Europe. Là, des maîtres ombrageux et jaloux de leur sécurité se sont occupés à le tenir dans ce que vous appelez l'abrutissement.

A. À Venise[1] peut-être ?

B. Pourquoi non ? Vous ne nierez pas du moins qu'il n'y ait nulle part moins de lumières acquises, moins de moralité artificielle, et moins de vices et de vertus chimériques.

A. Je ne m'attendais pas à l'éloge de ce gouvernement.

B. Aussi ne le fais-je pas. Je vous indique une espèce de dédommagement de la servitude que tous les voyageurs ont senti et préconisé.

A. Pauvre dédommagement !

B. Peut-être. Les Grecs proscrivirent celui qui avait ajouté une corde à la lyre de Mercure[2].

A. Et cette défense est une satire sanglante de leurs premiers législateurs. C'est la première qu'il fallait couper.

B. Vous m'avez compris. Partout où il y a une lyre il y a des cordes[3]. Tant que les appétits naturels seront sophistiqués[4], comptez sur des femmes méchantes.

A. Comme la Reymer.

B. Sur des hommes atroces.

A. Comme Gardeil[5].

B. Et sur des infortunés à propos de rien.

A. Comme Tanié, Mademoiselle de la Chaux, le chevalier Desroches et Madame de La Carlière. Il est certain qu'on chercherait inutilement dans Otaïti des exemples de la dépravation des deux premiers et du malheur des trois derniers. Que

ferons-nous donc ? Reviendrons-nous à la nature ?
Nous soumettrons-nous aux lois ?

B. Nous parlerons contre les lois insensées
jusqu'à ce qu'on les réforme et en attendant nous
nous y soumettrons. Celui qui de son autorité pri-
vée enfreint une loi mauvaise, autorise tout autre
à enfreindre les bonnes. Il y a moins d'inconvénient à être fou avec des fous qu'à être sage tout
seul. Disons-nous à nous-mêmes, crions inces-
samment qu'on a attaché la honte, le châtiment
et l'ignominie à des actions innocentes en elles-
mêmes, mais ne les commettons pas, parce que
la honte, le châtiment et l'ignominie sont les plus
grands de tous les maux. Imitons le bon aumônier,
moine en France, sauvage dans Otaïti.

A. Prendre le froc du pays où l'on va, et garder celui du pays où l'on est.

B. Et surtout être honnête et sincère jusqu'au
scrupule avec des êtres fragiles qui ne peuvent
faire notre bonheur sans renoncer aux avantages
les plus précieux de nos sociétés. Et ce brouillard
épais, qu'est-il devenu ?

A. Il est retombé.

B. Et nous serons encore libres cet après-dîner
de sortir ou de rester ?

A. Cela dépendra, je crois, un peu plus des
femmes que de nous.

B. Toujours les femmes ; on ne saurait faire un
pas sans les rencontrer à travers son chemin.

A. Si nous leur lisions l'entretien de l'aumônier
et d'Orou ?

B. À votre avis, qu'en diraient-elles ?

A. Je n'en sais rien.

B. Et qu'en penseraient-elles ?

A. Peut-être le contraire de ce qu'elles en diraient[1].

FIN

# CHRONOLOGIE

## 1713-1784

1713. 5 octobre : naissance de Denis à Langres, sur le plateau champenois. « Les habitants de ce pays ont beaucoup d'esprit, trop de vivacité, une inconstance de girouette. Cela vient, je crois, des vicissitudes de leur atmosphère qui passe en vingt-quatre heures du froid au chaud, du calme à l'orage, du serein au pluvieux [...]. Pour moi, je suis de mon pays : seulement le séjour de la capitale, et l'application assidue m'ont un peu corrigé. »
Son père, Didier Diderot, né en 1685, est artisan coutelier, il est reconnu pour sa fabrication d'instruments chirurgicaux. La mère, Angélique Vigneron, née en 1677, appartient aussi au monde artisanal. Parmi les oncles maternels, l'un est chanoine de la cathédrale, l'autre curé à quelques kilomètres de Langres.

1715. Naissance d'une sœur, Denise, à qui Diderot resta toute sa vie tendrement attaché.

1720. Naissance d'une autre sœur, Angélique. Denis, l'aîné, est parrain.

1722. Naissance du benjamin, Didier-Pierre, futur prêtre et chanoine.

1723. Denis entre chez les jesuites de Langres. Ses maîtres sont satisfaits de lui. Il fait aussi l'apprentissage des combats de la vie : « Telle était de mon temps l'éducation provinciale. Deux cents enfants se partageaient en deux armées. Il n'était pas rare qu'on en rapportât chez leurs parents de grièvement blessés. »

1726. Il reçoit la tonsure, il peut désormais se faire appeler abbé et porter le manteau court.

1728. Prix de vers latins et de version. « Un des moments les
        plus doux de ma vie, ce fut [...] lorsque mon père me
        vit arriver du collège, les bras chargés de prix que
        j'avais remportés et les épaules chargées de couronnes
        qu'on m'avait données et qui, trop larges pour mon
        front, avaient laissé passer ma tête. Du plus loin qu'il
        m'aperçut, il laissa son ouvrage, il s'avança sur sa porte
        et se mit à pleurer. »

1729. Son père vient l'installer à Paris. Denis fréquente les
        collèges Louis-le-Grand et Harcourt, il veut devenir
        jésuite.

1732. Il est reçu maître ès arts de l'Université de Paris.

1735. Il est reçu bachelier en théologie, mais n'obtient pas de
        bénéfice dans le diocèse de Langres. Il se tourne vers le
        droit.

1736. Clerc de procureur chez François-Clément de Ris,
        Langrois d'origine.
        Il est surveillé par un cousin, le frère Ange, pour le
        compte de son père. « Mais que voulez-vous donc être ?
        — Ma foi, mais rien du tout. J'aime l'étude ; je suis fort
        heureux, fort content : je ne demande pas autre chose. »

1737. Le père coupe les vivres et Diderot multiplie les petits
        emplois, comme précepteur, professeur de mathémati-
        ques, journaliste, traducteur. Toutes les carrières restent
        possibles.

1741. Il fait la connaissance de la fille de sa lingère, Anne-
        Toinette Champion, née en 1710. « J'arrive à Paris.
        J'allais prendre la fourrure et m'installer parmi les doc-
        teurs de Sorbonne. Je rencontre sur mon chemin une
        femme belle comme un ange ; je veux coucher avec elle,
        j'y couche ; j'en ai quatre enfants ; et me voilà forcé
        d'abandonner les mathématiques que j'aimais, Homère
        et Virgile que je portais toujours dans ma poche, le
        théâtre pour lequel j'avais du goût. »

1742. Il traduit l'*Histoire de la Grèce* de Temple Stanyan, fait
        paraître un premier poème dans *Le Perroquet, ou
        mélanges de diverses pièces*, renonce à la théologie,
        visite ses parents à Langres. Son cadet s'engage dans
        une carrière ecclésiastique et une de ses sœurs est
        religieuse.

1743. 1er février : le père Diderot écrit à Mme Champion mère
        pour la persuader de faire renoncer sa fille à l'idée d'un

mariage. De son côté, il fait enfermer son fils dans un couvent. Denis s'enfuit. « Je me suis jeté par les fenêtres, la nuit du dimanche au lundi. J'ai marché jusqu'à présent que je viens d'atteindre le coche de Troyes qui me transportera à Paris. »

6 novembre : mariage clandestin à Saint-Pierre-aux-Bœufs, dans l'île de la Cité.

1744. Diderot traduit le *Dictionnaire universel de médecine* du Dr James. « Il venait d'entreprendre cette besogne, racontera sa fille, quand le hasard lui amena deux hommes : l'un était Toussaint, auteur d'un petit ouvrage intitulé *Les Mœurs*, l'autre un inconnu [Eidous] ; mais tous deux sans pain et cherchant de l'occupation. Mon père, n'ayant rien, se priva des deux tiers de l'argent qu'il pouvait espérer de sa traduction, et les engagea à partager avec lui cette petite entreprise. »

1745. Traduction de *An Inquiry concerning Virtue and Merit* de Shaftesbury, sous le titre de *Principes de philosophie morale, ou Essai sur le mérite et la vertu*.

1746. Publication clandestine des *Pensées philosophiques*. Le livre est condamné par le Parlement à être « lacéré et brûlé » comme « scandaleux, contraire à la religion et aux bonnes mœurs ».

Liaison avec Mme de Puisieux qui commence une carrière d'auteur.

1747. Rédaction de *La Promenade du sceptique* (qui ne sera publiée qu'après la mort de Diderot).

Diderot, né en 1713, est lié avec Jean-Jacques Rousseau le Genevois (de 1712), d'Alembert l'enfant trouvé (de 1717) et Condillac le Lyonnais (de 1714)

Contrat de Diderot et d'Alembert avec Le Breton et trois autres libraires pour la direction de l'*Encyclopédie*.

1748. Publication des *Mémoires sur différents sujets de mathématiques* et diffusion clandestine des *Bijoux indiscrets*

Mort de la mère : Diderot ne retourne pas à Langres. Son père ignore toujours son mariage.

1749. 9 juin : publication de la *Lettre sur les aveugles à l'usage de ceux qui voient*.

24 juillet : perquisition de son appartement et arrestation. Il reste prisonnier au donjon de Vincennes jusqu'au 21 août, puis au château jusqu'au 3 novembre. C'est là que Rousseau vient lui rendre visite : « Je le trouvai très

affecté de sa prison. Le donjon lui avait fait une impression terrible, et quoiqu'il fût fort agréablement au château et maître de ses promenades dans un parc qui n'est pas même fermé de murs, il avait besoin de la société de ses amis pour ne pas se livrer à son humeur noire. » Sur le chemin de Vincennes, Rousseau a l'illumination de son système, il compose sous un chêne la prosopopée de Fabricius — point de départ du premier discours sur les sciences et les arts — et va la lire à Diderot.

1750. Le *Discours sur les sciences et les arts* de Rousseau est couronné par l'Académie de Dijon.
Prospectus de l'*Encyclopédie* qui lance la souscription.
Rencontre avec un jeune Allemand, Friedrich Melchior Grimm, venu à Paris comme précepteur et bien décidé à y faire carrière.

1751. Publication avec permission tacite de la *Lettre sur les sourds et muets à l'usage de ceux qui entendent et qui parlent*.
En réponse aux critiques que le *Journal de Trévoux* fait du prospectus, Diderot rend publiques deux Lettres au R.P. Berthier, jésuite. Le premier tome de l'*Encyclopédie* paraît le 28 juin. Agitation autour de l'entreprise.
Diderot est nommé membre de l'Académie de Berlin.

1752. Janvier : publication du tome II.
Un collaborateur de l'*Encyclopédie*, l'abbé de Prades, est censuré par la Sorbonne. Le privilège de l'*Encyclopédie* est annulé. Mme de Pompadour et le comte d'Argenson interviennent pour faire supprimer tacitement l'arrêt.
Mai-juin : voyage à Langres de Diderot, rejoint par Mme Diderot. Réconciliation générale.
Août : représentation de la *Serva padrona* de Pergolèse qui déclenche la Querelle des Bouffons. Rousseau, d'Holbach, Grimm, Diderot s'engagent en faveur de la musique italienne contre la tradition française. Rousseau fait jouer *Le Devin de village*.

1753. 2 septembre : naissance de Marie-Angélique, le seul enfant de Diderot qui survivra, elle deviendra Mme de Vandeul.
Octobre : tome III de l'*Encyclopédie*.
Décembre : publication avec permission tacite des *Pensées sur l'interprétation de la nature*.

Grimm prend la direction de la *Correspondance littéraire*, périodique manuscrit destiné aux têtes couronnées d'Europe.

1754. Séjour à Langres.

Tome IV de l'*Encyclopédie* et nouveau contrat avec les libraires. Diderot va pouvoir installer sa famille rue Taranne (rue qui a disparu, à l'emplacement du boulevard Saint-Germain, non loin de l'actuelle statue du philosophe).

D'Alembert est élu à l'Académie française.

1755. Mort de Montesquieu. Le tome V de l'*Encyclopédie,* en novembre, s'ouvre sur un éloge du défunt par d'Alembert.

*L'Histoire et le secret de la peinture en cire.*

Liaison avec Louise Henriette Volland que Diderot appelle Sophie.

1er novembre : tremblement de terre de Lisbonne, crise de conscience des philosophes européens.

1756. Tome VI de l'*Encyclopédie.*

Publication dans la *Correspondance littéraire* d'une *Lettre à M. Landois* sur la liberté et la nécessité, ainsi qu'une *Lettre à M. Pigalle* sur le mausolée du maréchal de Saxe.

Diderot fait la connaissance de Mme d'Épinay, la maîtresse de Grimm.

1757. Attaques contre l'*Encyclopédie*. Palissot publie les *Petites Lettres sur de grands philosophes.*

*Le Fils naturel* et les *Entretiens sur le Fils naturel.* Un pamphlet attaque Diderot : *Le Bâtard légitimé, ou le triomphe du comique larmoyant avec un examen du « Fils naturel ».*

Tome VII de l'*Encyclopédie* avec l'article « Genève » dans lequel d'Alembert critique l'interdiction du théâtre dans la cité de Calvin.

Tension entre Rousseau et Diderot.

1758. Rousseau publie la *Lettre à d'Alembert sur les spectacles* et rompt avec le clan encyclopédique.

*Le Père de famille, avec un discours sur la poésie dramatique.*

1759. Après la révocation du privilège de l'*Encyclopédie,* condamnation de l'entreprise par le pape, mais obtention d'un privilège pour les planches.

10 mai : première lettre connue à Sophie Volland.
3 juin : mort du père, voyage à Langres.
Rédaction du premier *Salon* de Diderot pour la *Correspondance littéraire*.

1760. Rédaction de *La Religieuse*.
Palissot fait jouer une pièce satirique contre les encyclopédistes, *Les Philosophes*.

1761. Première du *Père de famille* à la Comédie-Française.
Mort de Samuel Richardson, rédaction d'un *Éloge de Richardson* publié dans le *Journal étranger* en janvier 1762.
*Salon de 1761*.
Début de la rédaction du *Neveu de Rameau*.

1762. Parution officielle du premier volume de planches et diffusion clandestine de la suite des volumes d'articles de l'*Encyclopédie*. Catherine II propose de poursuivre l'impression en Russie : « L'*Encyclopédie* trouverait ici un asile assuré contre toutes les démarches de l'envie. » Diderot écrit à Voltaire qui l'en félicite : « C'est un énorme soufflet pour nos ennemis que la proposition de l'Impératrice de Russie. » Mais le philosophe décline l'invitation.

1763. *Salon de 1763*.
*Lettre historique et politique sur le commerce de la librairie*, lettre adressée à Sartine, nouvellement nommé comme Directeur général de la Librairie et de l'Imprimerie.

1764. Diderot découvre la censure que Le Breton a exercée sur les derniers volumes de l'*Encyclopédie*. Grimm témoigne : « Il se mit à revoir les meilleurs articles tant de sa main que de ses meilleurs aides, et trouva presque partout le même désordre, les mêmes vestiges du meurtrier absurde qui avait tout ravagé. Cette découverte le mit dans un état de frénésie et de désespoir que je n'oublierai jamais. » Diderot écrit à Le Breton : « Vous ne savez pas combien de mépris vous aurez à digérer de ma part. Je suis blessé jusqu'au tombeau. » Il renonce pourtant à quitter l'*Encyclopédie*.

1765. Sur la suggestion de Grimm, Catherine II achète en viager la bibliothèque de Diderot et décide de lui verser une rente annuelle de 1 000 livres. Elle organise une campagne médiatique pour faire savoir son geste de gé-

nérosité à travers l'Europe : Dorat compose une *Épître à Catherine II*, Pierre Légier une *Épître à Diderot*.
Juillet : « Sur Térence » dans la *Gazette littéraire de l'Europe*.
Septembre : achèvement de l'*Encyclopédie*.
*Salon de 1765*.
Décembre : début d'un échange de lettres sur la postérité, qui se poursuivra jusqu'en avril 1767 avec Falconet. Falconet joue les cyniques, Diderot défend le principe d'une survie toute laïque après la mort et d'un jugement dernier strictement humain.

1766. *Essais sur la peinture* pour faire suite au *Salon de 1765*
Diderot recommande Falconet à Catherine II. Le sculpteur part à Saint-Pétersbourg pour faire la statue de Pierre le Grand.
La tsarine en retard dans le versement de la rente à son « bibliothécaire » lui fait verser cinquante ans d'avance.

1767. Janvier : promotions des frères Diderot, l'abbé est nommé chanoine de la cathédrale de Langres, et le philosophe membre de l'Académie impériale des arts de Saint-Pétersbourg.
Rédaction du *Salon de 1767* qui va durer une bonne partie de l'année suivante.

1768. Longues missives à une comédienne, Mlle Jodin, et à Falconet.
Les lettres à Sophie sont désormais adressées conjointement à la mère et à ses deux filles, « Mesdames et bonnes amies ».
Septembre-octobre : *Mystification*.
Décembre : vente de la collection Gaignat. Diderot achète plusieurs tableaux pour le compte de Catherine II.

1769 *Regrets sur ma vieille robe de chambre*.
Mai : Grimm part en voyage et laisse la responsabilité de la *Correspondance littéraire* à Mme d'Épinay et à Diderot.
Rédaction du *Rêve de d'Alembert*.
Diderot fait paraître les *Dialogues sur le commerce des blés* de l'abbé Galiani qui a quitté Paris. Il renonce à participer au *Supplément* de l'*Encyclopédie*.
Villégiature d'été à Sèvres qui deviendra sa résidence d'été jusqu'à sa mort.

*Salon de 1769.*
Rédaction de *Garrick ou les acteurs anglais*, origine du
*Paradoxe sur le comédien.*
Flambée amoureuse pour Mme de Maux.

1770. Rédaction des *Principes philosophiques sur la matière
et le mouvement.*
Probable participation au *Système de la nature* du baron
d'Holbach et participation certaine à l'*Histoire des deux
Indes* de l'abbé Raynal. Diderot rédige entre autres fragments pour la première édition du livre de Raynal une
« Comparaison des peuples policés et des peuples sauvages ». Il poursuivra sa collaboration jusqu'à la troisième édition de l'ouvrage en 1780.
Fiançailles d'Angélique Diderot avec Abel François
Nicolas Caroillon de Vandeul, fils d'amis d'enfance
de Langres. Diderot retourne dans son pays natal avec
Grimm, il retrouve à Bourbonne son amie Mme de
Maux et la fille de celle-ci. Il compose *Les Deux Amis
de Bourbonne.*

1771. *Apologie de Galiani*, réponse aux critiques faites par
Morellet aux *Dialogues sur le commerce des blés.*
*Entretien d'un père avec ses enfants.* Première version
de *Jacques le Fataliste.*
Diderot édite les *Leçons de clavecin* de Bemetzrieder.
Rousseau fait des lectures des *Confessions*, Mme d'Épi-
nay en demande l'interdiction.

1772. Publication du traité d'Helvétius, décédé l'année précédente. *De l'homme* et des *Lettres sur l'homme et ses
rapports* d'Hemsterhuis. Diderot fera la réfutation des
deux textes.
*Essai sur le caractère, les mœurs et l'esprit des femmes
dans les différents siècles* de Thomas. Diderot réagit avec
*Sur les femmes.*
Parution des *Œuvres philosophiques de M. D****** qui
lui attribuent de nombreux textes qui ne sont pas de
lui et des *Œuvres philosophiques et dramatiques de
M. Diderot.*
9 septembre : mariage d'Angélique à Saint-Sulpice.
Diderot écrit à Grimm : « Ah, mon ami, quel moment !
Si j'avais à refaire *Le Père de famille*, je vous ferais
entendre bien d'autres choses ! » Le 13, il adresse à sa
fille une longue lettre de direction morale : « Je vous

ordonne de serrer cette lettre, et de la relire au moins une fois par mois. C'est la dernière fois que je vous dis *Je le veux.* »

1773. *Ceci n'est pas un conte, Madame de La Carlière, Supplément au Voyage de Bougainville* dans la *Correspondance littéraire.*

*Les Deux Amis de Bourbonne* et l'*Entretien d'un père avec ses enfants* paraissent avec les *Nouvelles idylles* de Gessner, en allemand, puis en français à Zurich.

*Collection complète des œuvres philosophiques, littéraires et dramatiques de M. Diderot* qui contient plusieurs textes qui ne sont pas de lui.

11 juin : départ de Paris pour la Hollande et la Russie où il veut aller remercier la tsarine de ses bontés.

Séjour à La Haye, chez Galitzine, ambassadeur de Russie.

Rédaction des *Réfutations* d'Helvétius et d'Hemsterhuis, ainsi que du *Paradoxe sur le comédien.*

20 août : départ de La Haye, traversée de l'Allemagne, en évitant Berlin.

8 octobre : arrivée à Saint-Pétersbourg.

Accueil décevant de Falconet.

Entretiens quotidiens avec Catherine II Grimm écrit à un ami : « Il est cependant avec elle tout aussi singulier, tout aussi original, tout aussi Diderot qu'avec vous. Il lui prend la main comme à vous ; il lui secoue les bras comme à vous, il s'assied à ses côtés comme chez vous ; mais, en ce dernier point, il obéit aux ordres souverains et vous jugez bien qu'on ne s'assied vis-à-vis de Sa Majesté que quand on y est forcé. » Catherine aurait rapporté à Mme Geoffrin : « Votre Diderot est un homme extraordinaire ; je ne me tire pas de mes entretiens avec lui sans avoir les cuisses meurtries et toutes noires. »

1774. 5 mars : départ de Saint-Pétersbourg pour La Haye.

Rédaction de l'*Entretien d'un philosophe avec Mme la maréchale de \*\*\**, des *Principes de politique des souverains*, des *Observations sur le Nakaz.*

21 octobre : retour à Paris.

1775. Diderot envoie à Catherine II un *Plan d'une université pour le gouvernement de Russie.*

*Salon de 1775* et *Pensées détachées sur la peinture, la sculpture, l'architecture et la poésie.*

1776. Longs séjours en dehors de Paris, à Sèvres chez le joaillier Étienne Belle, au Grandval, près de Boissy-Saint-Léger, chez d'Holbach.

Pigalle sculpte son buste. « Je mourrai vieil enfant. Il y a quelques jours, je me suis fendu le front chez Pigalle contre un bloc de marbre ; après cette belle aventure j'allais voir ma fille ; sa petite fille qui a trois ans et qui me vit une énorme bosse à la tête, me dit : Ah, ah, grand-papa, tu te cognes donc aussi le nez contre les portes. »

1777. Diderot travaille pour la nouvelle édition de l'*Histoire des deux Indes* de Raynal. Il prépare une édition de ses *Œuvres*, il met en ordre, récrit, fait copier.

*La Pièce et le prologue*, première version d'*Est-il bon ? est-il méchant ?*

1778. Retour de Voltaire à Paris pour son apothéose et sa mort. Décès de Rousseau, peu de temps plus tard.

Diderot travaille à un *Essai sur Sénèque* qui paraît comme dernier volume d'une traduction des *Œuvres* de Sénèque par Lagrange.

1781. Déçu par l'arrivisme et le conformisme de Grimm, Diderot prend la défense du radicalisme de Raynal : *Lettre apologétique de l'abbé Raynal à M. Grimm.*

21 mai : la troisième édition de l'*Histoire des deux Indes* est condamnée et Raynal décrété de prise de corps.

Dernier *Salon* où Diderot fait l'éloge de David.

Sa santé se dégrade.

1782. Publication d'une nouvelle version de l'*Essai sur Sénèque*, devenu *Essai sur les règnes de Claude et de Néron*. « M. Diderot a craint un moment la Bastille pour son essai sur l'empereur Claude. J'y ai trouvé, a dit le Roi au Garde des sceaux, des notes allusives à la conduite de l'auguste amant de Mme Du Barry, grondez beaucoup l'auteur, mais ne lui faites point de mal » (*Correspondance secrète*).

1783. La *Correspondance littéraire* commence à publier la *Réfutation d'Helvétius* et la poursuivra jusqu'en 1786.

15 avril : mort de Mme d'Épinay.

Septembre : « Nous sommes sur le point de perdre MM. d'Alembert et Diderot : le premier d'un marasme

joint à une maladie de vessie ; le second d'une hydropi-
sie » (Meister).

20 octobre : mort de d'Alembert qui a refusé les derniers
sacrements. L'Église prétend empêcher son inhumation.

1784. 22 février : mort de Sophie Volland.

Mi-juillet : Diderot emménage dans un bel appartement
loué par Catherine II rue de Richelieu, dans une
paroisse dont le curé est compréhensif. Celui-ci rend
visite au malade et lui propose une « petite rétracta-
tion » de ses livres qui ferait « un fort bel effet dans le
monde ». « Je le crois, M. le curé, mais convenez que je
ferais un impudent mensonge. »

31 juillet : mort de Diderot.

1er août : inhumation à Saint-Roch.

# NOTICE

Le 15 mai 1771 paraissait le *Voyage autour du monde* de Bougainville. Diderot en rédigea pour la *Correspondance littéraire* un compte rendu qui ne fut pas inséré dans les livraisons manuscrites du périodique de Grimm. Il le reprit et le transforma en un dialogue à propos du livre, à l'intérieur duquel un second dialogue faisait débattre un Tahitien et l'aumônier de Bougainville. Il composait parallèlement deux contes, *Ceci n'est pas un conte* et *Madame de La Carlière* et pensa ces trois textes comme un ensemble, un triptyque, qu'il donna successivement à la *Correspondance littéraire*. *Ceci n'est pas un conte* fut diffusé en avril 1773, *Madame de La Carlière* en mai, le *Supplément* en quatre livraisons en septembre (au moment où il partait pour Saint-Pétersbourg), octobre de la même année, mars et avril 1774. Comme souvent, il a continué à travailler son texte, ne considérant pas cette diffusion dans la *Correspondance littéraire* comme son dernier mot. À la première rédaction, il a ajouté bien après l'épigraphe empruntée aux *Satires* d'Horace (p. 29), l'histoire de Polly Baker, sortie de l'imagination de Benjamin Franklin, à la fin de la troisième partie (p. 64-67) et deux discussions de la cinquième : l'une sur les passages entre vie civilisée et vie sauvage (p. 90-91), l'autre sur l'ordre et l'anarchie (p. 91-93).

Nous possédons trois manuscrits du compte rendu du *Voyage autour du monde*, resté inutilisé, deux dans le Fonds Vandeul (du nom de la fille de Diderot à laquelle le philosophe légua une collection de ses œuvres, ce Fonds est aujourd'hui à la Bibliothèque nationale de France) et un à la Bibliothèque nationale de Russie à Saint-Pétersbourg (parmi les manuscrits envoyés à Catherine II avec toute la bibliothèque de Diderot, à la mort de ce dernier). C'est ce manuscrit de Saint-Pétersbourg qui nous sert de référence (noté L dans la tradition scientifique, de Leningrad, ancien nom de Saint-Pétersbourg)

Le *Supplément au Voyage de Bougainville* existe en un grand nombre de versions, successives ou parallèles, repérées, décrites, comparées par Gilbert Chinard, Herbert Dieckmann, Paul Vernière, Jacques Proust, Jeanne Carriat, auxquels un hommage particulier doit être rendu. Une première série se trouve dans les différentes collections manuscrites de la *Correspondance littéraire*, à Gotha, à Moscou, à la Bibliothèque historique de la Ville de Paris, à la Bibliothèque royale de Stockholm, à Zurich. Une deuxième série réunit trois manuscrits du Fonds Vandeul : celui qui a été choisi par H. Dieckmann pour son édition, celui qui a été utilisé par les époux Vandeul en vue d'une édition qui n'a jamais été réalisée et qui a été lourdement transformé, celui enfin qui est de la main de Naigeon, ami du philosophe et son premier éditeur. À ces deux séries s'ajoute le manuscrit de la Bibliothèque nationale de Russie à Saint-Pétersbourg, soigneusement recopié par Girbal qui est un des meilleurs copistes de Diderot. À la suite de Jacques Proust, nous adoptons ce texte.

Les années révolutionnaires ont vu paraître nombre de textes de Diderot, restés jusqu'alors manuscrits et inconnus du public : *Jacques le Fataliste*, *La Religieuse* et les *Essais sur la peinture* en 1796, l'*Entretien avec la maréchale* et le *Supplément au Voyage de Bougainville* dans les *Opuscules philosophiques et littéraires* de l'abbé Bourlet de Vauxcelles, la même année. Naigeon fit ensuite paraître les *Œuvres* de Diderot en quinze volumes (1798), le *Supplément* se trouve au tome III. Devancés par lui, M. et Mme de Vandeul ont renoncé à leur propre édition. Dans la tradition éditoriale, le *Supplément* a été soit considéré comme un texte isolé, soit comme la troisième partie d'un ensemble.

On trouvera en documents trois textes : les chapitres du *Voyage de Bougainville* qui décrivent l'arrivée et le séjour des voyageurs à Tahiti, ainsi que les mœurs des insulaires ; le compte rendu, resté inédit alors, de ce *Voyage* commandé à

Diderot par Grimm pour la *Correspondance littéraire* et largement repris dans le *Supplément* ; enfin un des nombreux fragments composés par Diderot pour l'*Histoire des deux Indes*. Ce dernier paraît dans la première et la deuxième édition du texte, il disparaît de la troisième en 1780.

# BIBLIOGRAPHIE

## Éditions des œuvres de Diderot

*Œuvres complètes*, éd. Assézat-Tourneux, 1875-1877, 20 vol.
*Œuvres complètes*, éd. Roger Lewinter, Club français du livre, 1969-1975, 15 vol. [Le *Supplément* se trouve au tome X].
*Œuvres complètes*, éd. DPV [Herbert Dieckmann, Jacques Proust, Jean Varloot], Éd. Hermann, 33 vol., en cours de publication depuis 1975 [*Supplément* au tome XII, 1989].
*Œuvres*, éd. Laurent Versini, Éd. Laffont, coll. Bouquins, 1994-1997, 5 vol. [*Supplément* au tome II, 1994].

## Éditions séparées du Supplément

Éd. Gilbert Chinard, Paris-Baltimore, Droz-John Hopkin Press, 1935.
Éd. Herbert Dieckmann, Genève-Lille, Droz-Giard, 1955.

## Bougainville

*Voyage autour du monde par la frégate du roi La Boudeuse, et la flûte L'Étoile en 1766, 1767, 1768 et 1769*, Paris, 1771. Nouvelle éd. 1772.

TAILLEMITE (Étienne), *Bougainville et ses compagnons autour du monde (1766-1769). Journaux de navigation*, Imprimerie nationale, 1977, 2 vol.

*Voyage autour du monde*, éd. Jacques Proust, Folio, 1982.

*Viaggio intorno al mondo*, con il *Supplemento al Viaggio di Bougainville* di Diderot, a cura di Lionello Sozzi, Milan, Il Saggiatore, 1983.

## Présentation générale de Diderot

BELAVAL (Yvon), *Études sur Diderot*, PUF, 2002.

BONNET (Jean-Claude), *Diderot. Textes et débats*, Le Livre de poche, 1984.

CHOUILLET (Jacques), *Diderot*, SEDES, 1977.

LEPAPE (Pierre), *Diderot*, Flammarion, 1991.

PROUST (Jacques), *Lectures de Diderot*, Colin, 1974.

VERSINI (Laurent), *Diderot, alias Frère Tonpla*, Hachette, 1996.

WILSON (Arthur), *Diderot, sa vie et son œuvre*, Laffont-Ramsay, coll. Bouquins, 1985.

## Sur le Supplément

BENREKASSA (Georges), « Dit et non-dit idéologique : à propos du *Supplément au Voyage de Bougainville* », *Dix-huitième siècle*, 5, 1973, repris dans *Le Concentrique et l'excentrique : marges des Lumières*, Payot, 1980.

— « Loi naturelle et loi civile : l'idéologie des Lumières et la prohibition de l'inceste », *Studies on Voltaire*, 87, 1972, repris dans le même recueil, *Le Concentrique et l'excentrique*.

COULET (Henri), « Deux confrontations du sauvage et du civilisé : les *Dialogues* de La Hontan et le *Supplément au Voyage de Bougainville* », *Man and Nature/L'Homme et la nature*, 9, 1990.

DUCHET (Michèle), « Le *Supplément au Voyage de Bougainville* et la collaboration de Diderot à l'*Histoire des deux Indes* », *CAIEF (Cahiers de l'Association internationale des études françaises)*, 1961.

McDonald (Christie V.), « Le dialogue, l'utopie : le *Supplément au Voyage de Bougainville* », *Canadian Review of Comparative Literature*, 1976.

Okon (Luzian), *Nature et civilisation dans le* Supplément au Voyage de Bougainville, Francfort-sur-le-Main, Peter Lang, 1980.

Papin (Bernard), *Sens et fonction de l'utopie tahitienne dans l'œuvre politique de Diderot*, Studies on Voltaire, 251, 1988.

Sozzi (Lionello), « La favola, la legge, l'attesa : riforme e utopia nel *Supplément* di Diderot », *Il Confronto letterario*, 1986.

Varloot (Jean), préface au *Neveu de Rameau* et autres dialogues philosophiques, Folio, 1972.

Werner (Stephen), « Diderot's *Supplément* and the late Enlightenment thought », *Studies on Voltaire*, LXXXVI, 1971.

## *Autour du* Supplément

Astorg (Bertrand d'), *Variations sur l'interdit majeur. Littérature et inceste en Occident*, Gallimard, 1990, coll. « Connaissance de l'inconscient ».

Benot (Yves), *Diderot, de l'athéisme à l'anticolonialisme*, Maspero, 1970, rééd. 1981.

Chinard (Gilbert), *L'Amérique et le rêve exotique dans la littérature française au XVIIᵉ et au XVIIIᵉ siècle*, Droz, 1934 ; Slatkine, 2000.

Dickason (Olive P.), *Le Mythe du sauvage*, trad. de l'anglais, Québec, Septentrion-Paris, Klincksieck, 1993.

Duchet (Michèle), *Anthropologie et histoire au siècle des Lumières*, Maspero, 1971 [« L'anthropologie de Diderot », p. 407-475]. 2ᵉ éd., Flammarion, 1977 [p. 345-405]. 3ᵉ éd., Albin Michel, 1995.

Gaillard (Yann), *Suppléments au Voyage de La Pérouse. Essai sur les voyages imaginaires et autres au XVIIIᵉ siècle*, Papyrus-Maurice Nadeau, 1980.

Giraud (Yves), « De l'exploration à l'utopie : notes sur la formation du mythe de Tahiti », *French Studies*, 1977.

*Il Buon Selvaggio ed Europea del settecento*, Florence, Leo S. Olschki, 1981 (« Studi di letteratura francese II »).

Marouby (Christian), *Utopie et primitivisme. Essai sur l'imaginaire anthropologique à l'âge classique*, Seuil, 1990.

Sozzi (Lionello), *Immagini del selvaggio. Mito e realtà nel primitivismo europeo*, Rome, Edizioni Storia e letteratura, 2002, coll. « Quaderni di cultura francese ».

Strugnell (Anthony), *Diderot's Politics. A Study of the evolution of Diderot's political thought after the Encyclopédie*, La Haye, Nijhoff, 1973.

## Sur la forme du dialogue philosophique

*Le Dialogue genre littéraire*, *CAIEF*, 24, 1972.

Mortier (Roland), « Diderot et le problème de l'expressivité : de la pensée au dialogue heuristique », *CAIEF*, 13, 1961.

— « Pour une poétique du dialogue : essai de théorie d'un genre », *Literary history and criticism. Festschrift René Wellek*, Berne, Lang, 1984.

Roelens (Maurice), « La description inaugurale dans le dialogue philosophique aux xvii^e et xviii^e siècles », *Littérature*, 18, 1975.

Sherman (Carol), *Diderot and the Art of dialogue*, Genève, Droz, 1976.

Terrasse (Jean), « La contamination des genres chez Diderot : contes, nouvelles, entretiens ou dialogues philosophiques ? », *Eighteenth-Century Fiction*, 13, janvier-avril 2001.

## On trouvera d'autres références dans

Spear (Frederick A.), *Bibliographie de Diderot. Répertoire analytique international*, Genève, Droz, 1980. T. II (1976-1986), Genève, Droz, 1988.

Mortier (Roland) — Trousson (Raymond), *Dictionnaire de Diderot*, Champion, 1999.

*Recherches sur Diderot et sur l'Encyclopédie*, Diffusion Klincksieck, depuis 1986, rubrique bibliographique semestrielle.

*Diderot Studies*, Genève, Droz, depuis 1949.

# DOCUMENTS

## BOUGAINVILLE : SÉJOUR À TAHITI

*Voyage autour du monde,*
Seconde partie, chapitres I à III

Le 2 avril[1] à dix heures du matin nous aperçûmes dans le nord-nord-est une montagne haute et fort escarpée qui nous parut isolée ; je la nommai *le Boudoir* ou *le pic de La Boudeuse*. Nous courions au nord pour la reconnaître, lorsque nous eûmes la vue d'une autre terre dans l'ouest-quart-nord-ouest, dont la côte non moins élevée offrait à nos yeux une étendue indéterminée. Nous avions le plus urgent besoin d'une relâche qui nous procurât du bois et des rafraîchissements, et on se flattait de les trouver sur cette terre. Il fit presque calme tout le jour. La brise se leva le soir, et nous courûmes sur la terre jusqu'à deux heures du matin que nous remîmes pendant trois heures le bord au large. Le soleil se leva enveloppé de nuages et de brume ; et ce ne fut qu'à neuf heures du matin que nous revîmes la terre dont la pointe méridionale nous restait à ouest-quart-nord-ouest ; on n'apercevait plus le pic de *La Boudeuse* que du haut des mâts. Les vents soufflaient du nord au nord-nord-est, et nous tînmes le plus près pour atterrer au vent de l'île. En approchant nous aperçûmes au-delà de sa pointe du nord une autre terre éloignée plus septentrionale encore, sans que nous pussions alors distinguer

1. 1768.

si elle tenait à la première île, ou si elle en formait une seconde.

Pendant la nuit du 3 au 4 nous louvoyâmes pour nous élever dans le nord. Des feux que nous vîmes, avec joie, briller de toutes parts sur la côte, nous apprirent qu'elle était habitée. Le 4 au lever de l'aurore nous reconnûmes que les deux terres qui la veille nous avaient paru séparées étaient unies ensemble par une terre plus basse qui se courbait en arc et formait une baie ouverte au nord-est. Nous courions à pleines voiles vers la terre, présentant au vent de cette baie, lorsque nous aperçûmes une pirogue qui venait du large et voguait vers la côte, se servant de sa voile et de ses pagaies. Elle nous passa de l'avant et se joignit à une infinité d'autres qui de toutes les parties de l'île accouraient au-devant de nous. L'une d'elles précédait les autres ; elle était conduite par douze hommes nus qui nous présentèrent des branches de bananiers, et leurs démonstrations attestaient que c'était là le rameau d'olivier. Nous leur répondîmes par tous les signes d'amitié dont nous pûmes nous aviser ; alors ils accostèrent le navire, et l'un d'eux, remarquable par son énorme chevelure hérissée en rayons, nous offrit avec son rameau de paix un petit cochon et un régime de bananes. Nous acceptâmes son présent qu'il attacha à une corde qu'on lui jeta ; nous lui donnâmes des bonnets et des mouchoirs, et ces premiers présents furent le gage de notre alliance avec ce peuple.

Bientôt plus de cent pirogues de grandeurs différentes et toutes à balancier environnèrent les deux vaisseaux. Elles étaient chargées de cocos, de bananes et d'autres fruits du pays. L'échange de ces fruits délicieux pour nous, contre toutes sortes de bagatelles, se fit avec bonne foi, mais sans qu'aucun des insulaires voulût monter à bord. Il fallait entrer dans leurs pirogues ou montrer de loin les objets d'échange ; lorsqu'on était d'accord, on leur envoyait au bout d'une corde un panier ou un filet ; ils y mettaient leurs effets et nous les nôtres, donnant ou recevant indifféremment avant que d'avoir donné ou reçu, avec une bonne foi qui nous fit bien augurer de leur caractère. D'ailleurs nous ne vîmes aucune espèce d'armes dans leurs pirogues où il n'y avait point de femmes à cette première entrevue. Les pirogues restèrent le long des navires jusqu'à ce que les approches de la nuit nous firent revirer au large ; toutes alors se retirèrent.

Nous tâchâmes dans la nuit de nous élever au nord, n'écartant jamais la terre de plus de trois lieues. Tout le rivage fut jusqu'à près de minuit, ainsi qu'il l'avait été la nuit précédente, garni de petits feux à peu de distance les uns des autres : on eût dit que c'était une illumination faite à dessein, et nous l'accompagnâmes de plusieurs fusées tirées des deux vaisseaux.

La journée du 5 se passa à louvoyer, afin de gagner au vent de l'île, et à faire sonder par les bateaux pour trouver un mouillage. L'aspect de cette côte élevée en amphithéâtre nous offrait le plus riant spectacle. Quoique les montagnes y soient d'une grande hauteur, le rocher n'y montre nulle part son aride nudité : tout y est couvert de bois. À peine en crûmes-nous nos yeux, lorsque nous découvrîmes un pic chargé d'arbres jusqu'à sa cime isolée qui s'élevait au niveau des montagnes dans l'intérieur de la partie méridionale de l'île. Il ne paraissait pas avoir plus de trente toises de diamètre, et il diminuait de grosseur en montant ; on l'eût pris de loin pour une pyramide d'une hauteur immense que la main d'un décorateur habile aurait parée de guirlandes de feuillages. Les terrains moins élevés sont entrecoupés de prairies et de bosquets, et dans toute l'étendue de la côte il règne sur les bords de la mer, au pied du pays haut, une lisière de terre basse et unie, couverte de plantations. C'est là qu'au milieu des bananiers, des cocotiers et d'autres arbres chargés de fruits, nous apercevions les maisons des insulaires.

Comme nous prolongions la côte, nos yeux furent frappés de la vue d'une belle cascade qui s'élançait du haut des montagnes et précipitait à la mer ses eaux écumantes. Un village était bâti au pied, et la côte y paraissait sans brisants. Nous désirions tous de pouvoir mouiller à portée de ce beau lieu ; sans cesse on sondait des navires, et nos bateaux sondaient jusqu'à terre ; on ne trouva dans cette partie qu'un platier de roches, et il fallut se résoudre à chercher ailleurs un mouillage.

Les pirogues étaient revenues au navire dès le lever du soleil, et toute la journée on fit des échanges. Il s'ouvrit même de nouvelles branches de commerce ; outre les fruits de l'espèce de ceux apportés la veille, et quelques autres rafraîchissements, tels que poules et pigeons, les insulaires apportèrent avec eux toutes sortes d'instruments pour la pêche, des herminettes de pierre, des étoffes singulières, des coquilles, etc. Ils demandaient en échange du fer et des pendants d'oreilles.

Les trocs se firent comme la veille avec loyauté ; cette fois aussi il vint dans les pirogues quelques femmes jolies et presque nues. À bord de *L'Étoile* il monta un insulaire qui y passa la nuit, sans témoigner aucune inquiétude.

Nous l'employâmes encore à louvoyer ; et le 6 au matin, nous étions parvenus à l'extrémité septentrionale de l'île. Une seconde s'offrit à nous ; mais la vue de plusieurs brisants, qui paraissaient défendre le passage entre les deux îles, me détermina à revenir sur mes pas chercher un mouillage dans la première baie que nous avions vue le jour de notre atterrage. Nos canots qui sondaient en avant et en terre de nous trouvèrent la côte du nord de la baie bordée partout à un quart de lieue du rivage d'un récif qui découvre à basse mer. Cependant, à une lieue de la pointe du nord, ils reconnurent dans le récif une coupure large de deux encablures au plus, dans laquelle il y avait 30 à 35 brasses d'eau, et en dedans une rade assez vaste où le fond variait depuis 9 jusqu'à 30 brasses. Cette rade était bornée au sud par un récif qui, partant de terre, allait se joindre à celui qui bordait la côte. Nos canots avaient sondé partout sur un fond de sable, et ils avaient reconnu plusieurs petites rivières commodes pour l'aiguade. Sur le récif du côté du nord il y a trois îlots.

Ce rapport me décida à mouiller dans cette rade, et sur-le-champ nous fîmes route pour y entrer. Nous rangeâmes la pointe du récif de stribord en entrant et, dès que nous fûmes en dedans, nous mouillâmes notre première ancre sur 34 brasses, fond de sable gris, coquillages et gravier, et nous étendîmes aussitôt une ancre à jet dans le nord-ouest pour y mouiller notre ancre d'affourche. *L'Étoile* passa au vent à nous et mouilla dans le nord à une encablure. Dès que nous fûmes affourchés, nous amenâmes basses vergues et mâts de hune.

À mesure que nous avions approché la terre, les insulaires avaient environné les navires. L'affluence des pirogues fut si grande autour des vaisseaux, que nous eûmes beaucoup de peine à nous amarrer au milieu de la foule et du bruit. Tous venaient en criant *tayo*, qui veut dire *ami*, et en nous donnant mille témoignages d'amitié ; tous demandaient des clous et des pendants d'oreilles. Les pirogues étaient remplies de femmes qui ne le cèdent pas pour l'agrément de la figure au plus grand nombre des Européennes, et qui, pour la beauté du corps, pourraient le disputer à toutes avec avantage. La plupart de ces nymphes étaient nues, car les hommes et les vieilles, qui les accompagnaient, leur avaient ôté la pagne[1] dont ordinairement elles s'enveloppent. Elles nous firent d'abord, de leurs pirogues, des agaceries où, malgré leur naïveté, on découvrait quelque embarras ; soit que la nature ait partout embelli le sexe d'une timidité ingénue, soit que, même dans les pays où règne encore la franchise de l'âge d'or, les femmes paraissent ne pas vouloir ce qu'elles désirent le plus. Les hommes, plus simples ou plus libres, s'énoncèrent bientôt clairement. Ils nous pressaient de choisir une femme, de la suivre à terre, et leurs gestes non équivoques démontraient la manière dont il fallait faire connaissance avec elle. Je le demande : comment retenir au travail, au milieu d'un spectacle pareil, quatre cents Français, jeunes, marins, et qui depuis six mois n'avaient point vu de femmes ? Malgré toutes les précautions que nous pûmes prendre, il entra à bord une jeune fille qui vint sur le gaillard d'arrière se placer à une des écoutilles qui sont au-dessus du cabestan ; cette écoutille était ouverte pour donner de l'air à ceux qui viraient. La jeune fille laissa tomber négligemment une pagne qui la couvrait et parut aux yeux de tous, telle que Vénus se fit voir au berger phrygien. Elle en avait la forme céleste. Matelots et soldats s'empressaient pour parvenir à l'écoutille, et jamais cabestan ne fut viré avec une pareille activité.

Nos soins réussirent cependant à contenir ces hommes ensorcelés ; le moins difficile n'avait pas été de parvenir à se contenir soi-même. Un seul Français, mon cuisinier, qui malgré les défenses avait trouvé le moyen de s'échapper, nous revint bientôt plus mort que vif. À peine eut-il mis pied à terre, avec la belle qu'il avait choisie, qu'il se vit entouré par une foule d'Indiens qui le déshabillèrent dans un instant, et le mirent nu de la tête aux pieds. Il se crut perdu mille fois, ne sachant où aboutiraient les exclamations de ce peuple, qui examinait en tumulte toutes les parties de son corps. Après l'avoir bien considéré, ils lui rendirent ses habits, remirent dans ses poches tout ce qu'ils en avaient tiré, et firent approcher la fille en le pressant de contenter les désirs qui l'avaient amené à terre avec elle. Ce fut en vain. Il fallut que les insulaires ramenassent à bord le pauvre cuisinier, qui me dit

---

1. La pagne : le terme est devenu masculin dans le français moderne.

que j'aurais beau le réprimander, que je ne lui ferais jamais autant de peur qu'il venait d'en avoir à terre.

## Chapitre II

*Séjour dans l'île Tahiti ; détail du bien et du mal qui nous y arrivent.*

On a vu les obstacles qu'il avait fallu vaincre pour parvenir à mouiller nos ancres ; lorsque nous fûmes amarrés, je descendis à terre avec plusieurs officiers, afin de reconnaître l'aiguade. Nous y fûmes reçus par une foule immense d'hommes et de femmes qui ne se laissaient point de nous considérer ; les plus hardis venaient nous toucher, ils écartaient même nos vêtements, comme pour vérifier si nous étions absolument faits comme eux ; aucun ne portait d'armes, pas même de bâtons. Ils ne savaient comment exprimer leur joie de nous recevoir. Le chef de ce canton nous conduisit dans sa maison et nous y introduisit. Il y avait dedans cinq ou six femmes et un vieillard vénérable. Les femmes nous saluèrent en portant la main sur la poitrine, et criant plusieurs fois *tayo*. Le vieillard était père de notre hôte. Il n'avait du grand âge que ce caractère respectable qu'impriment les ans sur une belle figure. Sa tête ornée de cheveux blancs et d'une longue barbe, tout son corps nerveux et rempli, ne montraient aucune ride, aucun signe de décrépitude. Cet homme vénérable parut s'apercevoir à peine de notre arrivée ; il se retira même sans répondre à nos caresses, sans témoigner ni frayeur, ni étonnement, ni curiosité ; fort éloigné de prendre part à l'espèce d'extase que notre vue causait à tout ce peuple, son air rêveur et soucieux semblait annoncer qu'il craignait que ces jours heureux, écoulés pour lui dans le sein du repos, ne fussent troublés par l'arrivée d'une nouvelle race.

On nous laissa la liberté de considérer l'intérieur de la maison. Elle n'avait aucun meuble, aucun ornement qui la distinguât des cases ordinaires, que sa grandeur. Elle pouvait avoir quatre-vingts pieds de long sur vingt pieds de large. Nous y remarquâmes un cylindre d'osier, long de trois ou quatre pieds et garni de plumes noires, lequel était suspendu au toit, et deux figures de bois que nous prîmes pour des idoles. L'une, c'était le dieu, était debout contre un des piliers ; la déesse était vis-à-vis, inclinée le long du mur, qu'elle surpassait en hauteur, et attachée aux roseaux qui le forment. Ces figures mal faites et sans proportions avaient environ trois pieds de haut, mais elles tenaient à un piédestal cylindrique, vidé dans l'intérieur, et sculpté à jour. Il était fait en forme de tour, et pouvait avoir six à sept pieds de hauteur, sur environ un pied de diamètre ; le tout était d'un bois noir fort dur.

Le chef nous proposa ensuite de nous asseoir sur l'herbe au-dehors de sa maison, où il fit apporter des fruits, du poisson grillé et de l'eau ; pendant le repas, il envoya chercher quelques pièces d'étoffes, et deux grands colliers faits d'osier et recouverts de plumes noires et de dents de requins. Leur forme ne ressemble pas mal à celle de ces fraises immenses qu'on portait du temps de François I$^{er}$. Il en passa un au col du chevalier d'Oraison, l'autre au mien, et distribua les étoffes. Nous étions prêts à retourner à bord, lorsque le chevalier de Suzannet s'aperçut qu'il lui manquait un pistolet, qu'on avait adroitement volé dans sa poche. Nous le fîmes entendre au chef qui, sur-le-champ, voulut fouiller tous les gens qui nous environnaient ; il en maltraita même quelques-uns. Nous arrêtâmes ses recherches, en tâchant seulement de lui faire comprendre que l'auteur du vol pourrait être la victime de sa friponnerie, et que son larcin lui donnerait la mort.

Le chef et tout le peuple nous accompagnèrent jusqu'à nos bateaux. Prêts à y arriver, nous fûmes arrêtés par un insulaire d'une belle figure qui, couché sous un arbre, nous offrit de partager le gazon qui lui servait de siège. Nous l'acceptâmes ; cet homme alors se pencha vers nous et, d'un air tendre, aux accords d'une flûte dans laquelle un autre Indien soufflait avec le nez, il nous chanta lentement une chanson, sans doute anacréontique : scène charmante, et digne du pinceau de Boucher. Quatre insulaires vinrent avec confiance souper et coucher à bord. Nous leur fîmes entendre flûte, basse, violon, et nous leur donnâmes un feu d'artifice composé de fusées et de serpentaux. Ce spectacle leur causa une surprise mêlée d'effroi.

Le 7 au matin, le chef, dont le nom est *Ereti*, vint à bord. Il nous apporta un cochon, des poules et le pistolet qui avait été pris la veille chez lui. Cet acte de justice nous en donna bonne idée. Cependant nous fîmes dans la matinée toutes nos dispositions pour descendre à terre nos malades et nos pièces à l'eau, et les y laisser en établissant une garde pour leur sûreté. Je descendis l'après-midi avec armes et bagages, et nous commençâmes à dresser le camp sur les bords d'une petite rivière où nous devions faire notre eau. Ereti vit la troupe sous les armes, et les préparatifs du campement, sans paraître d'abord surpris ni mécontent. Toutefois, quelques heures après, il vint à moi accompagné de son père et des principaux du canton qui lui avaient fait des représentations à cet égard, et me fit entendre que notre séjour à terre leur déplaisait, que nous étions les maîtres d'y venir le jour tant que nous voudrions, mais qu'il fallait coucher la nuit à bord de nos vaisseaux. J'insistai sur l'établissement du camp, lui faisant comprendre qu'il nous était nécessaire pour faire de l'eau, du bois, et rendre plus faciles les échanges entre les deux nations. Ils tinrent alors un second conseil, à l'issue duquel Ereti vint me demander si nous resterions ici toujours, ou si nous comptions repartir, et dans quel temps. Je lui répondis que nous mettrions à la voile dans dix-huit jours, en signe duquel nombre je lui donnai dix-huit petites pierres ; sur cela, nouvelle conférence à laquelle on me fit appeler. Un homme grave, et qui paraissait avoir du poids dans le conseil, voulait réduire à neuf les jours de notre campement, j'insistai pour le nombre que j'avais demandé, et enfin ils y consentirent.

De ce moment la joie se rétablit ; Ereti même nous offrit un hangar immense tout près de la rivière, sous lequel étaient quelques pirogues qu'il en fit enlever sur-le-champ. Nous dressâmes dans ce hangar les tentes pour nos scorbutiques, au nombre de trente-quatre, douze de *La Boudeuse* et vingt-deux de *L'Étoile*, et quelques autres nécessaires au service. La garde fut composée de trente soldats, et je fis aussi descendre des fusils pour armer les travailleurs et les malades. Je restai à terre la première nuit, qu'Ereti voulut aussi passer dans nos tentes. Il fit apporter son souper qu'il joignit au nôtre, chassa la foule qui entourait le camp, et ne retint avec lui que cinq ou six de ses amis. Après souper, il demanda des fusées, et elles lui firent au moins autant de peur que de plaisir. Sur la fin de la nuit, il envoya chercher une de ses femmes qu'il fit coucher dans la tente de M. de Nassau. Elle était vieille et laide.

La journée suivante se passa à perfectionner notre camp. Le hangar était bien fait et parfaitement couvert d'une espèce de natte. Nous n'y laissâmes qu'une issue à laquelle nous mîmes une barrière et un corps de garde. Ereti, ses femmes et ses amis avaient seuls la permission d'entrer ; la foule se tenait en dehors du hangar : un de nos gens, une baguette à la main, suffisait pour la faire écarter. C'était là que les insulaires apportaient de toutes parts des fruits, des poules, des cochons, du poisson et des pièces de toile qu'ils échangeaient contre des clous, des outils, des perles fausses, des boutons et mille autres bagatelles qui étaient des trésors pour eux. Au reste, ils examinaient attentivement ce qui pouvait nous plaire ; ils virent que nous cueillions des plantes antiscorbutiques et qu'on s'occupait aussi à chercher des coquilles. Les femmes et les enfants ne tardèrent pas à nous apporter à l'envi des paquets des mêmes plantes qu'ils nous avaient vus ramasser et des paniers remplis de coquilles de toutes les espèces. On payait leurs peines à peu de frais.

Ce même jour je demandai au chef de m'indiquer du bois que je pusse couper. Le pays bas où nous étions n'est couvert que d'arbres fruitiers et d'une espèce de bois plein de gomme et de peu de consistance ; le bois dur vient sur les montagnes. Ereti me marqua les arbres que je pouvais couper, et m'indiqua même de quel côté il les fallait faire tomber en les abattant. Au reste, les insulaires nous aidaient beaucoup dans nos travaux ; nos ouvriers abattaient les arbres et les mettaient en bûches que les gens du pays transportaient aux bateaux, ils aidaient de même à faire l'eau, emplissant les pièces et les conduisant aux chaloupes. On leur donnait pour salaires des clous dont le nombre se proportionnait au travail qu'ils avaient fait. La seule gêne qu'on eut, c'est qu'il fallait sans cesse avoir l'œil à tout ce qu'on apportait à terre, à ses poches même ; car il n'y a point en Europe de plus adroits filous que les gens de ce pays.

Cependant il ne semble pas que le vol soit ordinaire entre eux. Rien ne ferme dans leurs maisons, tout y est à terre ou suspendu, sans serrure ni gardiens. Sans doute la curiosité pour des objets nouveaux excitait en eux de violents désirs, et d'ailleurs il y a partout de la canaille. On avait volé les deux premières nuits, malgré les sentinelles et les patrouilles, auxquelles on avait même jeté quelques pierres. Les voleurs se cachaient dans un marais couvert d'herbes et de roseaux, qui s'étendait derrière notre camp. On le nettoya en partie, et j'ordonnai à l'officier de garde de faire tirer sur les voleurs qui viendraient dorénavant. Ereti lui-même me dit de le faire, mais il eut grand soin de montrer plusieurs fois où était sa

maison, en recommandant bien de tirer du côté opposé.
J'envoyais aussi tous les soirs trois de nos bateaux armés de
pierriers et d'espingoles se mouiller devant le camp.

Au vol près, tout se passait de la manière la plus amiable.
Chaque jour nos gens se promenaient dans le pays sans armes, seuls ou par petites bandes. On les invitait à entrer dans
les maisons, on leur y donnait à manger ; mais ce n'est pas à
une collation légère que se borne ici la civilité des maîtres de
maisons ; ils leur offraient des jeunes filles ; la case se rem-
plissait à l'instant d'une foule curieuse d'hommes et de femmes
qui faisaient un cercle autour de l'hôte et de la jeune victime
du devoir hospitalier ; la terre se jonchait de feuillage et de
fleurs, et des musiciens chantaient aux accords de la flûte une
hymne de jouissance. Vénus est ici la déesse de l'hospitalité,
son culte n'y admet point de mystères, et chaque jouissance
est une fête pour la nation. Ils étaient surpris de l'embarras
qu'on témoignait ; nos mœurs ont proscrit cette publicité.
Toutefois je ne garantirais pas qu'aucun n'ait vaincu sa répugnance et ne se soit conformé aux usages du pays.

J'ai plusieurs fois été, moi second ou troisième, me promener dans l'intérieur. Je me croyais transporté dans le jardin
d'Éden ; nous parcourions une plaine de gazon, couverte de
beaux arbres fruitiers et coupée de petites rivières qui entretiennent une fraîcheur délicieuse, sans aucun des inconvé-
nients qu'entraîne l'humidité. Un peuple nombreux y jouit
des trésors que la nature verse à pleines mains sur lui. Nous
trouvions des troupes d'hommes et de femmes assises à l'ombre des vergers ; tous nous saluaient avec amitié ; ceux que
nous rencontrions dans les chemins se rangeaient à côté pour
nous laisser passer ; partout nous voyions régner l'hospitalité,
le repos, une joie douce et toutes les apparences du bonheur.

Je fis présent au chef du canton où nous étions d'un couple
de dindes et de canards mâles et femelles ; c'était le denier
de la veuve. Je lui proposai aussi de faire un jardin à notre
manière et d'y semer différentes graines, proposition qui fut
reçue avec joie. En peu de temps Ereti fit préparer et entou-
rer de palissades le terrain qu'avaient choisi nos jardiniers. Je
le fis bêcher ; ils admiraient nos outils de jardinage. Ils ont
bien aussi autour de leurs maisons des espèces de potagers
garnis de giraumons, de patates, d'ignames et d'autres racines.
Nous leur avons semé du blé, de l'orge, de l'avoine, du riz, du
maïs, des oignons et des graines potagères de toute espèce.

Nous avons lieu de croire que ces plantations seront bien soignées ; car ce peuple nous a paru aimer l'agriculture, et je crois qu'on l'accoutumerait facilement à tirer parti du sol le plus fertile de l'univers.

Les premiers jours de notre arrivée j'eus la visite du chef d'un canton voisin, qui vint à bord avec un présent de fruits, de cochons, de poules et d'étoffes. Ce seigneur, nommé *Toutaa*, est d'une belle figure et d'une taille extraordinaire. Il était accompagné de quelques-uns de ses parents, presque tous hommes de six pieds. Je leur fis présent de clous, d'outils, de perles fausses et d'étoffes de soie. Il fallut lui rendre sa visite chez lui ; nous fûmes bien accueillis, et l'honnête Toutaa m'offrit une de ses femmes fort jeune et assez jolie. L'assemblée était nombreuse, et les musiciens avaient déjà entonné les chants de l'hyménée. Telle est la manière de recevoir les visites de cérémonie.

Le 10, il y eut un insulaire tué, et les gens du pays vinrent se plaindre de ce meurtre. J'envoyai à la maison où avait été porté le cadavre ; on vit effectivement que l'homme avait été tué d'un coup de feu. Cependant on ne laissait sortir aucun de nos gens avec des armes à feu, ni des vaisseaux ni de l'enceinte du camp. Je fis sans succès les plus exactes perquisitions pour connaître l'auteur de cet infâme assassinat. Les insulaires crurent sans doute que leur compatriote avait eu tort ; car ils continuèrent à venir à notre quartier avec leur confiance accoutumée. On me rapporta cependant qu'on avait vu beaucoup de gens emporter leurs effets à la montagne, et que même la maison d'Ereti était toute démeublée. Je lui fis de nouveaux présents, et ce bon chef continua à nous témoigner la plus sincère amitié.

Cependant je pressais nos travaux de tous les genres ; car, encore que cette relâche fût excellente pour nos besoins, je savais que nous étions mal mouillés. En effet, quoique nos câbles, paumoyés presque tous les jours, n'eussent pas encore paru rayés, nous avions découvert que le fond était semé de gros corail, et d'ailleurs, en cas d'un grand vent du large, nous n'avions pas de chasse. La nécessité avait forcé de prendre ce mouillage sans nous laisser la liberté du choix, et bientôt nous eûmes la preuve que nos inquiétudes n'étaient que trop fondées.

Le 12, à cinq heures du matin, les vents étant venus au sud, notre câble du sud-est et le grelin d'une ancre à jet, que nous avions par précaution allongée dans l'est-sud-est, furent coupés sur le fond. Nous mouillâmes aussitôt notre grande ancre ; mais, avant qu'elle eût pris fond, la frégate vint à l'appel de l'ancre du nord-ouest, et nous tombâmes sur *L'Étoile* que nous abordâmes à bas-bord. Nous virâmes sur notre ancre, et *L'Étoile* fila rapidement, de manière que nous fûmes séparés avant que d'avoir souffert aucune avarie. La flûte nous envoya alors le bout d'un grelin qu'elle avait allongé dans l'est, sur lequel nous virâmes pour nous écarter d'elle davantage. Nous relevâmes ensuite notre grande ancre et rembarquâmes le grelin et le câble coupés sur le fond. Celui-ci l'avait été à 30 brasses de l'entalingure ; nous le changeâmes bout pour bout et l'entalinguâmes sur une ancre de rechange de deux mille sept cents que *L'Étoile* avait dans sa cale et que nous envoyâmes chercher. Notre ancre du sud-est mouillée sans orin à cause du grand fond était perdue, et nous tâchâmes inutilement de sauver l'ancre à jet dont la bouée avait coulé et qu'il fut impossible de draguer. Nous guindâmes aussitôt notre petit mât de hune et la vergue de misaine, afin de pouvoir appareiller dès que le vent le permettrait

L'après-midi il calma et passa à l'est. Nous allongeâmes alors dans le sud-est une ancre à jet et l'ancre reçue de *L'Étoile*, et j'envoyai un bateau sonder dans le nord, afin de savoir s'il n'y aurait pas un passage ; ce qui nous eût mis à portée de sortir presque de tout vent. Un malheur n'arrive jamais seul : comme nous étions tous occupés d'un travail auquel était attaché notre salut, on vint m'avertir qu'il y avait eu trois insulaires tués ou blessés dans leurs cases à coups de baïonnettes, que l'alarme était répandue dans le pays, que les vieillards, les femmes et les enfants fuyaient vers les montagnes emportant leurs bagages et jusqu'aux cadavres des morts, et que peut-être allions-nous avoir sur les bras une armée de ces hommes furieux. Telle était donc notre position de craindre la guerre à terre au même instant où les deux navires étaient dans le cas d'y être jetés. Je descendis au camp, et en présence du chef je fis mettre aux fers quatre soldats soupçonnés d'être les auteurs du forfait ; ce procédé parut les contenter.

Je passai une partie de la nuit à terre, où je renforçai les gardes, dans la crainte que les insulaires ne voulussent venger leurs compatriotes. Nous occupions un poste excellent entre deux rivières distantes l'une de l'autre d'un quart de lieue au plus ; le front du camp était couvert par un marais, le reste était la mer dont assurément nous étions les maîtres. Nous avions beau jeu pour défendre ce poste contre toutes les forces de l'île réunies ; mais heureusement, à quelques alertes près occasionnées par des filous, la nuit fut tranquille au camp.

Ce n'était pas de ce côté où mes inquiétudes étaient les plus vives. La crainte de perdre les vaisseaux à la côte nous donnait des alarmes infiniment plus cruelles. Dès dix heures du soir les vents avaient beaucoup fraîchi de la partie de l'est avec une grosse houle, de la pluie, des orages et toutes les apparences funestes qui augmentent l'horreur de ces lugubres situations. Vers deux heures du matin il passa un grain qui chassait les vaisseaux en côte : je me rendis à bord, le grain heureusement ne dura pas ; et dès qu'il fut passé, le vent vint de terre. L'aurore nous amena de nouveaux malheurs ; notre câble du nord-ouest fut coupé ; le grelin, que nous avait cédé *L'Étoile* et qui nous tenait sur son ancre à jet, eut le même sort peu d'instants après ; la frégate alors venant à l'appel de l'ancre et du grelin du sud-est ne se trouvait pas à une encablure de la côte où la mer brisait avec fureur. Plus le péril devenait instant, plus les ressources diminuaient ; les deux ancres, dont les câbles venaient d'être coupés, étaient perdues pour nous ; leurs bouées avaient disparu, soit qu'elles eussent coulé, soit que les Indiens les eussent enlevées dans la nuit. C'étaient déjà quatre ancres de moins depuis vingt-quatre heures, et cependant il nous restait encore des pertes à essuyer.

À dix heures du matin le câble neuf, que nous avions entalingué sur l'ancre de deux mille sept cents de *L'Étoile*, laquelle nous tenait dans le sud-est, fut coupé, et la frégate, défendue par un seul grelin, commença à chasser en côte. Nous mouillâmes sous barbe notre grande ancre, la seule qui nous restât en mouillage ; mais de quel secours nous pouvait-elle être ? Nous étions si près des brisants, que nous aurions été dessus avant que d'avoir assez filé de câble pour que l'ancre pût bien prendre fond. Nous attendions à chaque instant le triste dénouement de cette aventure, lorsqu'une brise de sud-ouest nous donna l'espérance de pouvoir appareiller. Nos focs furent bientôt hissés ; le vaisseau commençait à prendre de l'air et nous travaillions à faire de la voile pour filer câble et grelin et mettre dehors, mais les vents revinrent presque aussitôt à l'est. Cet intervalle nous avait toujours donné le temps de recevoir à bord le bout du grelin de la seconde ancre à jet de *L'Étoile* qu'elle venait d'allonger dans l'est et qui nous sauva pour le moment. Nous virâmes sur les deux grelins et nous nous relevâmes un peu de la côte. Nous envoyâmes alors notre chaloupe à *L'Étoile* pour l'aider à s'amarrer solidement ; ses ancres étaient heureusement mouillées sur un fond moins perdu de corail que celui sur lequel étaient tombées les nôtres. Lorsque cette opération fut faite, notre chaloupe alla lever par son orin l'ancre de deux mille sept cents ; nous entalinguâmes dessus un autre câble et nous l'allongeâmes dans le nord-est ; nous relevâmes ensuite l'ancre à jet de *L'Étoile* que nous lui rendîmes. Dans ces deux jours M. de La Giraudais, commandant de cette flûte, a eu la plus grande part au salut de la frégate par les secours qu'il m'a donnés ; c'est avec plaisir que je paie ce tribut de reconnaissance à cet officier, déjà mon compagnon dans mes autres voyages, et dont le zèle égale les talents.

Cependant lorsque le jour était venu, aucun Indien ne s'était approché du camp, on n'avait vu naviguer aucune pirogue, on avait trouvé les maisons voisines abandonnées, tout le pays paraissait un désert. Le prince de Nassau, lequel avec quatre ou cinq hommes seulement s'était éloigné davantage, dans le dessein de rencontrer quelques insulaires et de les rassurer, en trouva un grand nombre avec Ereti environ à une lieue du camp. Dès que ce chef eut reconnu M. de Nassau, il vint à lui d'un air consterné. Les femmes éplorées se jetèrent à ses genoux, elles lui baisaient les mains en pleurant et répétant plusieurs fois : *Tayo, maté, vous êtes nos amis et vous nous tuez.* À force de caresses et d'amitié il parvint à les ramener. Je vis du bord une foule de peuple accourir au quartier : des poules, des cocos, des régimes de bananes embellissaient la marche et promettaient la paix. Je descendis aussitôt avec un assortiment d'étoffes de soie et des outils de toute espèce ; je les distribuai aux chefs, en leur témoignant ma douleur du désastre arrivé la veille et les assurant qu'il serait puni. Les bons insulaires me comblèrent de caresses, le peuple applaudit à la réunion, et en peu de temps la foule ordinaire et les filous revinrent à notre quartier qui ressemblait pas mal à une foire. Ils apportèrent ce jour et le suivant plus de rafraîchissements que jamais. Ils demandèrent aussi qu'on tirât devant eux quelques coups de fusil, ce qui leur fit grand peur, tous les animaux tirés ayant été tués raides.

Le canot que j'avais envoyé pour reconnaître le côté du nord était revenu avec la bonne nouvelle qu'il y avait trouvé un très beau passage. Il était alors trop tard pour en profiter ce même jour ; la nuit s'avançait. Heureusement elle fut tranquille à terre et à la mer. Le 14 au matin, les vents étant à l'est, j'ordonnai à *L'Étoile*, qui avait son eau faite et tout son monde à bord, d'appareiller et de sortir par la nouvelle passe du nord. Nous ne pouvions mettre à la voile par cette passe qu'après la flûte mouillée au nord de nous. À onze heures elle appareilla sur une aussière portée sur nous, je gardai sa chaloupe et ses deux petites ancres ; je pris aussi à bord, dès qu'elle fut sous voiles, le bout du câble de son ancre du sud-est mouillée en bon fond. Nous levâmes alors notre grande ancre, allongeâmes les deux ancres à jet, et par ce moyen nous restâmes sur deux grosses ancres et trois petites. À deux heures après-midi nous eûmes la satisfaction de découvrir *L'Étoile* en dehors de tous les récifs. Notre situation dès ce moment devenait moins terrible ; nous venions au moins de nous assurer le retour dans notre patrie, en mettant un de nos navires à l'abri des accidents. Lorsque M. de La Giraudais fut au large, il me renvoya son canot avec M. Lavari Leroi qui avait été chargé de reconnaître la passe.

Nous travaillâmes tout le jour et une partie de la nuit à finir notre eau, à déblayer l'hôpital et le camp. J'enfouis près du hangar un acte de prise de possession inscrit sur une planche de chêne avec une bouteille bien fermée et lutée contenant les noms des officiers des deux navires. J'ai suivi cette même méthode pour toutes les terres découvertes dans le cours de ce voyage. Il était deux heures du matin avant que tout fût à bord ; la nuit fut assez orageuse pour nous causer encore de l'inquiétude, malgré la quantité d'ancres que nous avions à la mer.

Le 15 à six heures du matin, les vents étant de terre et le ciel à l'orage, nous levâmes notre ancre, filâmes le câble de celle de *L'Étoile*, coupâmes un des grelins et filâmes les deux autres, appareillant sous la misaine et les deux huniers pour sortir par la passe de l'est. Nous laissâmes les deux chaloupes pour lever les ancres ; et dès que nous fûmes dehors, j'envoyai les deux canots armés aux ordres du chevalier de Suzannet, enseigne de la marine, pour protéger le travail des chaloupes.

Nous étions à un quart de lieue au large et nous commencions à nous féliciter d'être heureusement sortis d'un mouillage qui nous avait causé de si vives inquiétudes, lorsque, le vent ayant cessé tout d'un coup, la marée et une grosse lame de l'est commencèrent à nous entraîner sur les récifs sous le vent de la passe. Le pis-aller des naufrages qui nous avaient menacés jusqu'ici avait été de passer nos jours dans une île embellie de tous les dons de la nature, et de changer les douceurs de notre patrie contre une vie paisible et exempte de soins. Mais ici le naufrage se présentait sous un aspect plus cruel ; le vaisseau, porté rapidement sur les récifs, n'y eût pas résisté deux minutes à la violence de la mer, et quelques-uns des meilleurs nageurs eussent à peine sauvé leur vie. J'avais dès le premier instant du danger rappelé canots et chaloupes pour nous remorquer. Ils arrivèrent au moment où, n'étant pas à plus de cinquante toises du récif, notre situation paraissait désespérée, d'autant qu'il n'y avait pas à mouiller. Une brise de l'ouest, qui s'éleva dans le même instant, nous rendit l'espérance : en effet elle fraîchit peu à peu, et à neuf heures du matin nous étions absolument hors de danger.

Je renvoyai sur-le-champ les bateaux à la recherche des ancres, et je restai à louvoyer pour les attendre. L'après-midi nous rejoignîmes *L'Étoile*. À cinq heures du soir notre chaloupe arriva ayant à bord la grosse ancre et le câble de *L'Étoile* qu'elle lui porta ; notre canot, celui de *L'Étoile* et sa chaloupe revinrent peu de temps après ; celle-ci nous rapportait notre ancre à jet et un grelin. Quant aux deux autres ancres à jet, l'approche de la nuit et la fatigue extrême des matelots ne permirent pas de les lever ce même jour. J'avais d'abord compté m'entretenir la nuit sur les bords et les envoyer chercher le lendemain ; mais à minuit il se leva un grand frais de l'est-nord-est, qui me contraignit à embarquer les bateaux et à faire de la voile pour me tirer de dessus la côte. Ainsi un mouillage de neuf jours nous a coûté six ancres, perte que nous n'aurions pas essuyée, si nous eussions été munis de quelques chaînes de fer. C'est une précaution que ne doivent jamais oublier tous les navigateurs destinés à de pareils voyages.

Maintenant que les navires sont en sûreté, arrêtons-nous un instant pour recevoir les adieux des insulaires. Dès l'aube du jour, lorsqu'ils s'aperçurent que nous mettions à la voile, Ereti avait sauté seul dans la première pirogue qu'il avait trouvée sur le rivage, et s'était rendu à bord. En y arrivant il nous embrassa tous ; il nous tenait quelques instants entre ses bras, versant des larmes et paraissant très affecté de notre départ. Peu de temps après, sa grande pirogue vint à bord chargée de rafraîchissements de toute espèce ; ses femmes étaient dedans et avec elles ce même insulaire qui le premier jour de notre atterrage était venu s'établir à bord de *L'Étoile*. Ereti fut le prendre par la main, et il me le présenta en me faisant entendre que cet homme, dont le nom est *Aotourou*, voulait nous suivre, et me priant d'y consentir. Il le présenta ensuite à tous les officiers, chacun en particulier, disant que c'était son ami qu'il confiait à ses amis, et il nous le recommanda avec les plus grandes marques d'intérêt. On fit encore à Ereti des présents de toute espèce, après quoi il prit congé de nous et fut rejoindre ses femmes, lesquelles ne cessèrent de pleurer tout le temps que la pirogue fut le long du bord. Il y avait aussi dedans une jeune et jolie fille que l'insulaire qui venait avec nous fut embrasser. Il lui donna trois perles qu'il avait à ses oreilles, la baisa encore une fois ; et malgré les larmes de cette jeune épouse ou amante, il s'arracha de ses bras et remonta dans le vaisseau. Nous quittâmes ainsi ce bon peuple, et je ne fus pas moins surpris du chagrin que leur causait notre départ, que je l'avais été de leur confiance affectueuse à notre arrivée.

## Chapitre III

*Description de la nouvelle île, mœurs et caractère de ses habitants.*

> *Lucis habitamus opacis,*
> *Riparumque toros et prata recentia rivis*
> *Incolimus*[1].
>
> Virgil. *Liv. VI*.

L'île à laquelle on avait d'abord donné le nom de *nouvelle Cythère* reçoit de ses habitants celui de *Tahiti*. Sa latitude à

1. « Nous habitons des bois ombreux, nous nous couchons sur le gazon de ces rives, et nous vivons dans de fraîches prairies que des ruisseaux arrosent » (Virgile, *Énéide*, VI, v. 673-675).

notre camp a été conclue de plusieurs hauteurs méridiennes
du soleil observées à terre avec un quart de cercle. Sa position
en longitude a été déterminée par onze observations de la
lune, selon la méthode des angles horaires. M. Verron en avait
fait beaucoup d'autres à terre pendant quatre jours et quatre
nuits pour déterminer cette même longitude ; mais le cahier,
où elles étaient écrites, lui ayant été enlevé, il ne lui est resté
que les dernières observations faites la veille de notre départ.
Il croit leur résultat moyen assez exact, quoique leurs extrêmes diffèrent entre eux de 7 à 8°. La perte de nos ancres et
tous les accidents que j'ai détaillés ci-dessus nous ont fait abandonner cette relâche plus tôt que nous ne nous y étions attendus, et nous ont mis dans l'impossibilité d'en visiter les côtes.
La partie du sud nous est absolument inconnue, celle que nous
avons parcourue depuis la pointe du sud-est jusqu'à celle du
nord-ouest me paraît avoir quinze à vingt lieues d'étendue, et
le gissement de ses principales pointes est entre le nord-ouest
et l'ouest-nord-ouest.

Entre la pointe du sud-est et un autre gros cap qui s'avance
dans le nord, à sept ou huit lieues de celle-ci, on voit une baie
ouverte au nord-est, laquelle a trois ou quatre lieues de profondeur. Ses côtes s'abaissent insensiblement jusqu'au fond
de la baie où elles ont peu d'élévation et paraissent former
le canton le plus beau de l'île et le plus habité. Il semble qu'on
trouverait aisément plusieurs bons mouillages dans cette baie.
Le hasard nous servit mal dans la rencontre du nôtre. En
entrant ici par la passe par laquelle est sortie *L'Étoile*, M. de
La Giraudais m'a assuré qu'entre les deux îles les plus septen-
trionales, il y avait un mouillage fort sûr pour trente vaisseaux
au moins depuis 23 jusqu'à 12 et 10 brasses, fond de sable
gris vaseux, qu'il y avait une lieue d'évitage et jamais de mer.
Le reste de la côte est élevé et elle semble en général être
toute bordée par un récif inégalement couvert d'eau et qui
forme en quelques endroits de petits îlots sur lesquels les
insulaires entretiennent des feux pendant la nuit pour la
pêche et la sûreté de leur navigation ; quelques coupures
donnent de distance en distance l'entrée en dedans du récif ;
mais il faut se méfier du fond. Le plomb n'amène jamais que
du sable gris ; ce sable recouvre de grosses masses d'un corail
dur et tranchant, capable de couper un câble dans une nuit,
ainsi que nous l'a appris une funeste expérience.

Au-delà de la pointe septentrionale de cette baie, la côte ne forme aucune anse, aucun cap remarquable. La pointe la plus occidentale est terminée par une terre basse, dans le nord-ouest de laquelle, environ à une lieue de distance, on voit une île peu élevée qui s'étend deux ou trois lieues sur le nord-ouest.

La hauteur des montagnes, qui occupent tout l'intérieur de Tahiti, est surprenante, eu égard à l'étendue de l'île. Loin d'en rendre l'aspect triste et sauvage, elles servent à l'embellir en variant à chaque pas les points de vue et présentant de riches paysages couverts des plus riches productions de la nature, avec ce désordre dont l'art ne sut jamais imiter l'agrément. De là sortent une infinité de petites rivières qui fertilisent le pays et ne servent pas moins à la commodité des habitants qu'à l'ornement des campagnes. Tout le plat pays, depuis les bords de la mer jusqu'aux montagnes, est consacré aux arbres fruitiers, sous lesquels, comme je l'ai déjà dit, sont bâties les maisons des Tahitiens, dispersées sans aucun ordre et sans former jamais de village ; on croit être dans les champs Élysées. Des sentiers publics, pratiqués avec intelligence et soigneusement entretenus, rendent partout les communications faciles.

Les principales productions de l'île sont le coco, la banane, le fruit à pain, l'igname, le curassol, le giraumon et plusieurs autres racines et fruits particuliers au pays, beaucoup de cannes à sucre qu'on ne cultive point, une espèce d'indigo sauvage, une très belle teinture rouge et une jaune ; j'ignore d'où on les tire. En général M. de Commerson y a trouvé la botanique des Indes. Aotourou, pendant qu'il a été avec nous, a reconnu et nommé plusieurs de nos fruits et de nos légumes, ainsi qu'un assez grand nombre de plantes que les curieux cultivent dans les serres chaudes. Le bois propre à travailler croît dans les montagnes, et les insulaires en font peu d'usage. Ils ne l'emploient que pour leurs grandes pirogues, qu'ils construisent de bois de cèdre. Nous leur avons aussi vu des piques d'un bois noir, dur et pesant, qui ressemble au bois de fer. Ils se servent pour bâtir les pirogues ordinaires de l'arbre qui porte le fruit à pain. C'est un bois qui ne fend point, mais il est si mol et si plein de gomme, qu'il ne fait que se mâcher sous l'outil.

Au reste, quoique cette île soit remplie de très hautes montagnes, la quantité d'arbres et de plantes dont elles sont partout couvertes ne semble pas annoncer que leur sein renferme des mines. Il est du moins certain que les insulaires ne connaissent point les métaux. Ils donnent à tous ceux que nous leur avons montrés le même nom d'*aouri*, dont ils se servaient pour nous demander du fer. Mais cette connaissance du fer, d'où leur vient-elle ? Je dirai bientôt ce que je pense à cet égard. Je ne connais ici qu'un seul article de commerce riche, ce sont de très belles perles. Les principaux en font porter aux oreilles à leurs femmes et à leurs enfants ; mais ils les ont tenues cachées pendant notre séjour chez eux. Ils font avec les écailles de ces huîtres perlières des espèces de castagnettes qui sont un de leurs instruments de danse.

Nous n'avons vu d'autres quadrupèdes que des cochons, des chiens d'une espèce petite, mais jolie, et des rats en grande quantité. Les habitants ont des poules domestiques absolument semblables aux nôtres. Nous avons aussi vu des tourterelles vertes charmantes, de gros pigeons d'un beau plumage bleu de roi et d'un très bon goût, et des perruches fort petites, mais fort singulières par le mélange de bleu et de rouge qui colorie leurs plumes. Ils ne nourrissent leurs cochons et leurs volailles qu'avec des bananes. Entre ce qui en a été consommé dans le séjour à terre et ce qui a été embarqué dans les deux navires, on a troqué plus de huit cents têtes de volailles et près de cent cinquante cochons ; encore, sans les travaux inquiétants des dernières journées, en aurait-on eu beaucoup davantage ; car les habitants en apportaient de jour en jour un plus grand nombre.

Nous n'avons pas éprouvé de grandes chaleurs dans cette île. Pendant notre séjour le thermomètre de Réaumur n'a jamais monté à plus de 22°, et il a été quelquefois à 18°. Le soleil, il est vrai, était déjà à 8 ou 9° de l'autre côté de l'équateur. Mais un avantage inestimable de cette île, c'est de n'y pas être infesté par cette légion odieuse d'insectes qui font le supplice des pays situés entre les tropiques ; nous n'y avons vu non plus aucun animal venimeux. D'ailleurs le climat est si sain que malgré les travaux forcés que nous y avons faits, quoique nos gens y fussent continuellement dans l'eau et au grand soleil, qu'ils couchassent sur le sol nu et à la belle étoile, personne n'y est tombé malade. Les scorbutiques que nous y avions débarqués, et qui n'y ont pas eu une seule nuit tranquille, y ont repris des forces et s'y sont rétablis en aussi peu de temps, au point que quelques-uns ont été depuis parfaitement guéris à bord. Au reste, la santé et la force des insulaires qui habitent des maisons ouvertes à tous les vents et couvrent à peine de quelques feuillages la terre qui leur sert de lit, l'heureuse vieillesse à laquelle ils parviennent sans aucune incommodité, la finesse de tous leurs sens et la beauté singulière de leurs dents qu'ils conservent dans le plus grand âge, quelles meilleures preuves et de la salubrité de l'air et de la bonté du régime que suivent les habitants ?

Les végétaux et le poisson sont leur principale nourriture ; ils mangent rarement de la viande, les enfants et les jeunes filles n'en mangent jamais, et ce régime sans doute contribue beaucoup à les tenir exempts de presque toutes nos maladies. J'en dirais autant de leurs boissons ; ils n'en connaissent d'autre que l'eau : l'odeur seule du vin et de l'eau-de-vie leur donnait de la répugnance ; ils en témoignaient aussi pour le tabac, les épiceries et en général pour toutes les choses fortes.

Le peuple de Tahiti est composé de deux races d'hommes très différentes, qui cependant ont la même langue, les mêmes mœurs et qui paraissent se mêler ensemble sans distinction. La première, et c'est la plus nombreuse, produit des hommes de la plus grande taille : il est ordinaire d'en voir de six pieds et plus. Je n'ai jamais rencontré d'hommes mieux faits ni mieux proportionnés ; pour peindre Hercule et Mars, on ne trouverait nulle part d'aussi beaux modèles. Rien ne distingue leurs traits de ceux des Européens ; et s'ils étaient vêtus, s'ils vivaient moins à l'air et au grand soleil, ils seraient aussi blancs que nous. En général, leurs cheveux sont noirs. La seconde race est d'une taille médiocre, a les cheveux crépus et durs comme du crin, sa couleur et ses traits diffèrent peu de ceux des mulâtres. Le Tahitien, qui s'est embarqué avec nous, est de cette seconde race, quoique son père soit chef d'un canton ; mais il possède en intelligence ce qui lui manque du côté de la beauté.

Les uns et les autres se laissent croître la partie inférieure de la barbe ; mais ils ont tous les moustaches et le haut des joues rasés. Ils laissent aussi toute leur longueur aux ongles, excepté à celui du doigt du milieu de la main droite. Quelques-uns se coupent les cheveux très court, d'autres les laissent croître et les portent attachés sur le sommet de la tête. Tous ont l'habitude de se les oindre, ainsi que la barbe, avec de l'huile de coco. Je n'ai rencontré qu'un seul homme estropié et qui paraissait l'avoir été par une chute. Notre chirurgien-major m'a assuré qu'il avait vu sur plusieurs les traces de la petite vérole, et j'avais pris toutes les mesures possibles pour que nous ne leur communiquassions pas l'autre, ne pouvant supposer qu'ils en fussent attaqués.

On voit souvent les Tahitiens nus, sans autre vêtement qu'une ceinture qui leur couvre les parties naturelles. Cependant les principaux s'enveloppent ordinairement dans une grande pièce d'étoffe qu'ils laissent tomber jusqu'aux genoux. C'est aussi là le seul habillement des femmes, et elles savent l'arranger avec assez d'art pour rendre ce simple ajustement susceptible de coquetterie. Comme les Tahitiennes ne vont jamais au soleil sans être couvertes, et qu'un petit chapeau de cannes, garni de fleurs, défend leur visage de ses rayons, elles sont beaucoup plus blanches que les hommes. Elles ont les traits assez délicats ; mais ce qui les distingue, c'est la beauté de leur corps dont les contours n'ont point été défigurés par quinze ans de torture.

Au reste, tandis qu'en Europe les femmes se peignent en rouge les joues, celles de Tahiti se peignent d'un bleu foncé les reins et les fesses ; c'est une parure et en même temps une marque de distinction. Les hommes sont soumis à la même mode. Je ne sais comment ils s'impriment ces traits ineffaçables ; je pense que c'est en piquant la peau et y versant le suc de certaines herbes, ainsi que je l'ai vu pratiquer aux indigènes du Canada. Il est à remarquer que de tout temps on a trouvé cette peinture à la mode chez les peuples voisins encore de l'état de nature. Quand César fit sa première descente en Angleterre, il y trouva établi cet usage de se peindre : *omnes vero Britanni se vitro inficiunt, quod cœruleum efficit colorem*[1]. Le savant et ingénieux auteur des recherches philosophiques sur les Américains donne pour cause à cet usage général le besoin où on est dans les pays incultes de se garantir ainsi de la piqûre des insectes caustiques qui s'y multiplient au-delà de l'imagination. Cette cause n'existe point à Tahiti, puisque, comme nous l'avons dit plus haut, on y est exempt de ces insectes insupportables. L'usage de se peindre y est donc une mode comme à Paris. Un autre usage de Tahiti,

1. « Tous les habitants de la Grande Bretagne se font des tatouages avec une plante qui produit une couleur bleue » (César, *Guerre des Gaules*, V, 14, 2).

commun aux hommes et aux femmes, c'est de se percer les oreilles et d'y porter des perles ou des fleurs de toute espèce. La plus grande propreté embellit encore ce peuple aimable. Ils se baignent sans cesse et jamais ils ne mangent ni ne boivent sans se laver avant et après.

Le caractère de la nation nous a paru être doux et bienfaisant. Il ne semble pas qu'il y ait dans l'île aucune guerre civile, aucune haine particulière, quoique le pays soit divisé en petits cantons qui ont chacun leur seigneur indépendant. Il est probable que les Tahitiens pratiquent entre eux une bonne foi dont ils ne doutent point. Qu'ils soient chez eux ou non, jour ou nuit, les maisons sont ouvertes. Chacun cueille les fruits sur le premier arbre qu'il rencontre, en prend dans la maison où il entre. Il paraîtrait que pour les choses absolument nécessaires à la vie, il n'y a point de propriété et que tout est à tous. Vis-à-vis de nous ils étaient filous habiles, mais d'une timidité qui les faisait fuir à la moindre menace. Au reste, on a vu que les chefs n'approuvaient point ces vols, qu'ils nous pressaient au contraire de tuer ceux qui les commettaient. Ereti cependant n'usait point de cette sévérité qu'il nous recommandait. Lui dénoncions-nous quelque voleur, il le poursuivait lui-même à toutes jambes ; l'homme fuyait, et s'il était joint, ce qui arrivait ordinairement, car Ereti était infatigable à la course, quelques coups de bâton et une restitution forcée étaient le seul châtiment du coupable. Je ne croyais pas même qu'ils connussent de punition plus forte, attendu que, quand ils voyaient mettre quelqu'un de nos gens aux fers, ils en témoignaient une peine sensible ; mais j'ai su depuis, à n'en pas douter, qu'ils ont l'usage de pendre les voleurs à des arbres, ainsi qu'on le pratique dans nos armées.

Ils sont presque toujours en guerre avec les habitants des îles voisines. Nous avons vu les grandes pirogues qui leur servent pour les descentes et même pour des combats de mer. Ils ont pour armes l'arc, la fronde, et une espèce de pique d'un bois fort dur. La guerre se fait chez eux d'une manière cruelle. Suivant ce que nous a appris Aotourou, ils tuent les hommes et les enfants mâles pris dans les combats ; ils leur lèvent la peau du menton avec la barbe, qu'ils portent comme un trophée de victoire ; ils conservent seulement les femmes et les filles, que les vainqueurs ne dédaignent pas d'admettre dans leur lit ; Aotourou lui-même est le fils d'un chef tahitien et d'une captive de l'île de *Oopoa*, île voisine, et souvent ennemie de Tahiti. J'attribue à ce mélange la différence que nous avons remarquée dans l'espèce des hommes. J'ignore au reste comment ils pansent leurs blessures : nos chirurgiens en ont admiré les cicatrices.

J'exposerai à la fin de ce chapitre ce que j'ai pu entrevoir sur la forme de leur gouvernement, sur l'étendue du pouvoir qu'ont leurs petits souverains, sur l'espèce de distinction qui existe entre les principaux et le peuple, sur le lien enfin qui réunit ensemble, et sous la même autorité, cette multitude d'hommes robustes qui ont si peu de besoins. Je remarquerai seulement ici que, dans les circonstances délicates, le seigneur du canton ne décide point sans l'avis d'un conseil. On a vu qu'il avait fallu une délibération des principaux de la nation, lorsqu'il s'était agi de l'établissement de notre camp à terre. J'ajouterai que le chef paraît être obéi sans réplique par tout le monde, et que les notables ont aussi des gens qui les servent, et sur lesquels ils ont de l'autorité.

Il est fort difficile de donner des éclaircissements sur leur religion. Nous avons vu chez eux des statues de bois que nous avons prises pour des idoles ; mais quel culte leur rendent-ils ? La seule cérémonie religieuse dont nous ayons été témoins regarde les morts. Ils en conservent longtemps les cadavres étendus sur une espèce d'échafaud que couvre un hangar. L'infection qu'ils répandent n'empêche pas les femmes d'aller pleurer auprès du corps une partie du jour, et d'oindre d'huile de coco les froides reliques de leur affection. Celles dont nous étions connus nous ont laissé quelquefois approcher de ce lieu consacré aux mânes : *Emoé, il dort*, nous disaient-elles. Lorsqu'il ne reste plus que les squelettes, on les transporte dans la maison, et j'ignore combien de temps on les y conserve. Je sais seulement, parce que je l'ai vu, qu'alors un homme considéré dans la nation vient y exercer son ministère sacré, et que, dans ces lugubres cérémonies, il porte des ornements assez recherchés.

Nous avons fait sur la religion beaucoup de questions à Aotourou, et nous avons cru comprendre qu'en général ses compatriotes sont fort superstitieux, que les prêtres ont chez eux la plus redoutable autorité, qu'indépendamment d'un être supérieur, nommé *Erit-Era, le Roi du Soleil* ou *de la Lumière*, être qu'ils ne représentent par aucune image matérielle, ils admettent plusieurs divinités, les unes bienfaisantes, les autres malfaisantes ; que le nom de ces divinités ou génies est *Eatoua*, qu'ils attachent à chaque action importante de la vie un bon et un mauvais génie ; lesquels y président et décident du succès ou du malheur. Ce que nous avons compris avec certitude, c'est que, quand la lune présente un certain aspect qu'ils nomment *Malama Tamaï, Lune en état de guerre*, aspect qui ne nous a pas montré de caractère distinctif qui puisse nous servir à le définir, ils sacrifient des victimes humaines. De tous leurs usages, un de ceux qui me surprend le plus, c'est l'habitude qu'ils ont de saluer ceux qui éternuent, en leur disant : *Evaroua-t-eatoua, que le bon eatoua te réveille*, ou bien *que le mauvais eatoua ne t'endorme pas*. Voilà des traces d'une origine commune avec les nations de l'ancien continent. Au reste, c'est surtout en traitant de la religion des peuples que le scepticisme est raisonnable, puisqu'il n'y a point de matière dans laquelle il soit plus facile de prendre la lueur pour l'évidence.

La polygamie paraît générale chez eux, du moins parmi les principaux. Comme leur seule passion est l'amour, le grand nombre des femmes est le seul luxe des riches. Les enfants partagent également les soins du père et de la mère. Ce n'est pas l'usage à Tahiti que les hommes, uniquement occupés de la pêche et de la guerre, laissent au sexe le plus faible les travaux pénibles du ménage et de la culture. Ici une douce oisiveté est le partage des femmes, et le soin de plaire leur plus sérieuse occupation. Je ne saurais assurer si le mariage est un engagement civil ou consacré par la religion, s'il est indissoluble ou sujet au divorce. Quoi qu'il en soit, les femmes doivent à leurs maris une soumission entière : elles laveraient dans leur sang une infidélité commise sans l'aveu de l'époux. Son consentement, il est vrai, n'est pas difficile à obtenir, et la jalousie est ici un sentiment si étranger, que le mari est ordinairement le premier à presser sa femme de se livrer. Une fille n'éprouve à cet égard aucune gêne ; tout l'invite à suivre le penchant de son cœur ou la loi de ses sens, et les applaudissements publics honorent sa défaite. Il ne semble pas que le grand nombre d'amants passagers qu'elle peut avoir eu l'empêche de trouver ensuite un mari. Pourquoi donc résisterait-elle à l'influence du climat, à la séduction de l'exemple ? L'air qu'on respire, les chants, la danse presque toujours accompagnée de postures lascives, tout rappelle à chaque instant les douceurs de l'amour, tout crie de s'y livrer. Ils dansent au son d'une espèce de tambour, et lorsqu'ils chantent, ils accompagnent la voix avec une flûte très douce à trois ou à quatre trous, dans laquelle, comme nous l'avons déjà dit, ils soufflent avec le nez. Ils ont aussi une espèce de lutte qui est en même temps exercice et jeu.

Cette habitude de vivre continuellement dans le plaisir donne aux Tahitiens un penchant marqué pour cette douce plaisanterie, fille du repos et de la joie. Ils en contractent aussi dans le caractère une légèreté dont nous étions tous les jours étonnés. Tout les frappe, rien ne les occupe ; au milieu des objets nouveaux que nous leur présentions, nous n'avons jamais réussi à fixer deux minutes de suite l'attention d'aucun d'eux. Il semble que la moindre réflexion leur soit un travail insupportable, et qu'ils fuient encore plus les fatigues de l'esprit que celles du corps.

Je ne les accuserai cependant pas de manquer d'intelligence. Leur adresse et leur industrie, dans le peu d'ouvrages nécessaires dont ne sauraient les dispenser l'abondance du pays et la beauté du climat, démentiraient ce témoignage. On est étonné de l'art avec lequel sont faits les instruments pour la pêche ; leurs hameçons sont de nacre aussi délicatement travaillée que s'ils avaient le secours de nos outils ; leurs filets sont absolument semblables aux nôtres, et tissus avec du fil de pite. Nous avons admiré la charpente de leurs vastes maisons, et la disposition des feuilles de lataniers qui en font la couverture.

Ils ont deux espèces de pirogues ; les unes, petites et peu travaillées, sont faites d'un seul tronc d'arbre creusé ; les autres, beaucoup plus grandes, sont travaillées avec art. Un arbre creusé fait, comme aux premières, le fond de la pirogue depuis l'avant jusqu'aux deux tiers environ de sa longueur ; un second forme la partie de l'arrière qui est courbe et fort relevée ; de sorte que l'extrémité de la poupe se trouve à cinq ou six pieds au-dessus de l'eau ; ces deux pièces sont assemblées bout à bout en arc de cercle, et comme, pour assurer cet écart, ils n'ont pas le secours des clous, ils percent en plusieurs endroits l'extrémité des deux pièces, et ils y passent des tresses de fil de coco, dont ils font de fortes liures. Les côtés de la pirogue sont relevés par deux bordages d'environ un pied de largeur, cousus sur le fond et l'un avec l'autre par des liures semblables aux précédentes. Ils remplissent les coutures de fil de coco, sans mettre aucun enduit sur ce calfatage. Une planche qui couvre l'avant de la pirogue, et qui a

cinq ou six pieds de saillie, l'empêche de se plonger entièrement dans l'eau, lorsque la mer est grosse. Pour rendre ces
légères barques moins sujettes à chavirer, ils mettent un balancier sur un des côtés. Ce n'est autre chose qu'une pièce de
bois assez longue, portée sur deux traverses de quatre à cinq
pieds de long, dont l'autre bout est amarré sur la pirogue.
Lorsqu'elle est à la voile, une planche s'étend en dehors de
l'autre côté du balancier. Son usage est pour y amarrer un
cordage qui soutient le mât, et de rendre la pirogue moins
volage, en plaçant au bout de la planche un homme ou un
poids.

Leur industrie paraît davantage dans le moyen dont ils usent
pour rendre ces bâtiments propres à les transporter aux îles
voisines, avec lesquelles ils communiquent, sans avoir dans
cette navigation d'autres guides que les étoiles. Ils lient ensemble deux grandes pirogues côté à côté, à quatre pieds environ
de distance, par le moyen de quelques traverses fortement
amarrées sur les deux bords. Par-dessus l'arrière de ces deux
bâtiments ainsi joints, ils posent un pavillon d'une charpente
très légère, couvert par un toit de roseaux. Cette chambre les
met à l'abri de la pluie et du soleil, et leur fournit en même
temps un lieu propre à tenir leurs provisions sèches. Ces dou-
bles pirogues sont capables de contenir un grand nombre de
personnes, et ne risquent jamais de chavirer. Ce sont celles
dont nous avons toujours vu les chefs se servir ; elles vont
ainsi que les pirogues simples à la rame et à la voile : les voiles
sont composées de nattes étendues sur un carré de roseaux,
dont un des angles est arrondi.

Les Tahitiens n'ont d'autre outil, pour tous ces ouvrages,
qu'une herminette, dont le tranchant est fait avec une pierre
noire très dure. Elle est absolument de la même forme que
celle de nos charpentiers, et ils s'en servent avec beaucoup
d'adresse. Ils emploient, pour percer les bois, des morceaux
de coquilles fort aigus.

La fabrique des étoffes singulières, qui composent leurs
vêtements, n'est pas le moindre de leurs arts. Elles sont tis-
sues avec l'écorce d'un arbuste que tous les habitants cultivent
autour de leurs maisons. Un morceau de bois dur, équarri et
rayé sur ses quatre faces par des traits de différentes gros-
seurs, leur sert à battre cette écorce sur une planche très
unie. Ils y jettent un peu d'eau en la battant, et ils parviennent
ainsi à former une étoffe très égale et très fine, de la nature

du papier, mais beaucoup plus souple, et moins sujette à être déchirée. Ils lui donnent une grande largeur. Ils en ont de plusieurs sortes, plus ou moins épaisses, mais toutes fabriquées avec la même matière ; j'ignore la méthode dont ils se servent pour les teindre.

Je terminerai ce chapitre en me justifiant, car on m'oblige à me servir de ce terme, en me justifiant, dis-je, d'avoir profité de la bonne volonté d'Aotourou pour lui faire faire un voyage qu'assurément il ne croyait pas devoir être aussi long, et en rendant compte des connaissances qu'il m'a données sur son pays pendant le séjour qu'il a fait avec moi.

Le zèle de cet insulaire pour nous suivre n'a pas été équivoque. Dès les premiers jours de notre arrivée à Tahiti il nous l'a manifesté de la manière la plus expressive, et sa nation parut applaudir à son projet. Forcés de parcourir une mer inconnue, et certains de ne devoir désormais qu'à l'humanité des peuples que nous allions découvrir les secours et les rafraîchissements dont notre vie dépendait, il nous était essentiel d'avoir avec nous un homme d'une des îles les plus considérables de cette mer. Ne devions-nous pas présumer qu'il parlait la même langue que ses voisins, que ses mœurs étaient les mêmes, et que son crédit auprès d'eux serait décisif en notre faveur, quand il détaillerait et notre conduite avec ses compatriotes et nos procédés à son égard ? D'ailleurs, en supposant que notre patrie voulût profiter de l'union d'un peuple puissant situé au milieu des plus belles contrées de l'Univers, quel gage pour cimenter l'alliance que l'éternelle obligation dont nous allions enchaîner ce peuple en lui renvoyant son concitoyen bien traité par nous et enrichi de connaissances utiles qu'il leur porterait. Dieu veuille que le besoin et le zèle qui nous ont inspirés ne soient pas funestes au courageux Aotourou !

Je n'ai épargné ni l'argent ni les soins pour lui rendre son séjour à Paris agréable et utile. Il y est resté onze mois, pendant lesquels il n'a témoigné aucun ennui. L'empressement pour le voir a été vif, curiosité stérile qui n'a servi presque qu'à donner des idées fausses à des hommes persifleurs par état, qui ne sont jamais sortis de la capitale, qui n'approfondissent rien, et qui, livrés à des erreurs de toute espèce, ne voient que d'après leurs préjugés et décident cependant avec sévérité et sans appel. Comment, par exemple, me disaient quelques-uns, dans le pays de cet homme on ne parle ni

français ni anglais ni espagnol ? Que pouvais-je répondre ?
Ce n'était pas toutefois l'étonnement d'une question pareille
qui me rendait muet. J'y étais accoutumé, puisque je savais
qu'à mon arrivée plusieurs, de ceux mêmes qui passent pour
instruits, soutenaient que je n'avais pas fait le tour du monde,
puisque je n'avais pas été en Chine. D'autres, aristarques
tranchants, prenaient et répandaient une fort mince idée du
pauvre insulaire, sur ce qu'après un séjour de deux ans avec
des Français, il parlait à peine quelques mots de la langue.
Ne voyons-nous pas tous les jours, disaient-ils, des Italiens,
des Anglais, des Allemands, auxquels un séjour d'un an à
Paris suffit pour apprendre le français ? J'aurais pu répondre peut-être, avec quelque fondement, qu'indépendamment
de l'obstacle physique que l'organe de cet insulaire apportait
à ce qu'il pût se rendre notre langue familière, obstacle qui
sera détaillé plus bas, cet homme avait au moins trente ans,
que jamais sa mémoire n'avait été exercée par aucune étude,
ni son esprit assujetti à aucun travail ; qu'à la vérité, un Italien, un Anglais, un Allemand pouvaient en un an jargonner
passablement le français ; mais que ces étrangers avaient une
grammaire pareille à la nôtre, des idées morales, physiques,
politiques, sociales, les mêmes que les nôtres et toutes expri-
mées par des mots dans leur langue, comme elles le sont dans
la langue française ; qu'ainsi ils n'avaient qu'une traduction à
confier à leur mémoire exercée dès l'enfance. Le Tahitien, au
contraire, n'ayant que le petit nombre d'idées relatives d'une
part à la société la plus simple et la plus bornée, de l'autre à
des besoins réduits au plus petit nombre possible, aurait eu à
créer, pour ainsi dire, dans un esprit aussi paresseux que
son corps, un monde d'idées premières, avant que de pouvoir
parvenir à leur adapter les mots de notre langue qui les expri-
ment. Voilà peut-être ce que j'aurais pu répondre ; mais ce
détail demandait quelques minutes, et j'ai presque toujours
remarqué que, accablé de questions comme je l'étais, quand
je me disposais à y satisfaire, les personnes qui m'en avaient
honoré étaient déjà loin de moi. C'est qu'il est fort commun
dans les capitales de trouver des gens qui questionnent non
en curieux qui veulent s'instruire, mais en juges qui s'apprêtent
à prononcer : alors, qu'ils entendent la réponse ou ne l'entendent point, ils n'en prononcent pas moins.

Cependant, quoique Aotourou estropiât à peine quelques
mots de notre langue, tous les jours il sortait seul, il parcourait

la ville, et jamais il ne s'est égaré. Souvent il faisait des emplettes, et presque jamais il n'a payé les choses au-delà de leur valeur. Le seul de nos spectacles qui lui plût était l'opéra ; car il aimait passionnément la danse. Il connaissait parfaitement les jours de ce spectacle ; il y allait seul, payait à la porte comme tout le monde, et sa place favorite était dans les corridors. Parmi le grand nombre de personnes qui ont désiré le voir, il a toujours remarqué ceux qui lui ont fait du bien, et son cœur reconnaissant ne les oubliait pas. Il était particulièrement attaché à madame la duchesse de Choiseul qui l'a comblé de bienfaits et surtout de marques d'intérêt et d'amitié, auxquelles il était infiniment plus sensible qu'aux présents. Aussi allait-il de lui-même voir cette généreuse bienfaitrice toutes les fois qu'il savait qu'elle était à Paris.

Il en est parti au mois de mars 1770, et il a été s'embarquer à La Rochelle sur le navire *Le Brisson*, qui a dû le transporter à l'île de France. Il a été confié pendant cette traversée aux soins d'un négociant qui s'est embarqué sur le même bâtiment dont il est armateur en partie. Le ministère a ordonné au gouverneur et à l'intendant de l'île de France de renvoyer de là Aotourou dans son île. J'ai donné un mémoire fort détaillé sur la route à faire pour s'y rendre, et trente-six mille francs (c'est le tiers de mon bien) pour armer le navire destiné à cette navigation. Madame la duchesse de Choiseul a porté l'humanité jusqu'à consacrer une somme d'argent pour transporter à Tahiti un grand nombre d'outils de nécessité première, des graines, des bestiaux, et le roi d'Espagne a daigné permettre que ce bâtiment, s'il était nécessaire, relâchât aux Philippines. Puisse Aotourou revoir bientôt ses compatriotes ! Je vais détailler ce que j'ai cru comprendre sur les mœurs de son pays dans mes conversations avec lui.

J'ai déjà dit que les Tahitiens reconnaissent un Être suprême qu'aucune image factice ne saurait représenter, et des divinités subalternes *de deux métiers*, comme dit Amyot, représentées par des figures de bois. Ils prient au lever et au coucher du soleil ; mais ils ont en détail un grand nombre de pratiques superstitieuses pour conjurer l'influence des mauvais génies. La comète, visible à Paris en 1769, et qu'Aotourou a fort bien remarquée, m'a donné lieu d'apprendre que les Tahitiens connaissent ces astres qui ne reparaissent, m'a-t-il dit, qu'après un grand nombre de lunes. Ils nomment les comètes *evetou eave*, et n'attachent à leur apparition

aucune idée sinistre. Il n'en est pas de même de ces espèces
de météores qu'ici le peuple croit être des étoiles qui filent.
Les Tahitiens, qui les nomment *epao*, les croient un génie
malfaisant, *eatoua toa*.

Au reste, les gens instruits de cette nation, sans être astro-
nomes, comme l'ont prétendu nos gazettes, ont une nomen-
clature des constellations les plus remarquables ; ils en
connaissent le mouvement diurne, et ils s'en servent pour
diriger leur route en pleine mer d'une île à l'autre. Dans cette
navigation, quelquefois de plus de trois cents lieues, ils per-
dent toute vue de terre. Leur boussole est le cours du soleil
pendant le jour, et la position des étoiles pendant les nuits,
presque toujours belles entre les tropiques.

Aotourou m'a parlé de plusieurs îles, les unes confédérées
de Tahiti, les autres toujours en guerre avec elle. Les îles amies
sont *Aimeo, Maôroua, Aca, Oumaïtia* et *Tapoua-massou*. Les
ennemies sont *Papara, Aiatea, Otaa, Toumaraa, Oopoa*. Ces îles
sont aussi grandes que Tahiti. L'île de *Pare*, fort abondante
en perles, est tantôt son alliée, tantôt son ennemie. *Enoua-
moteu* et *Toupai* sont deux petites îles inhabitées, couvertes
de fruits, de cochons, de volailles, abondantes en poissons
et en tortues ; mais le peuple croit qu'elles sont la demeure
des génies ; c'est leur domaine, et malheur aux bateaux que
le hasard ou la curiosité conduit à ces îles sacrées. Il en coûte
la vie à presque tous ceux qui y abordent. Au reste, ces îles
gissent à différentes distances de Tahiti. Le plus grand éloi-
gnement dont Aotourou m'ait parlé est à quinze jours de
marche. C'est sans doute à peu près à cette distance qu'il sup-
posait être notre patrie, lorsqu'il s'est déterminé à nous suivre.

J'ai dit plus haut que les habitants de Tahiti nous avaient
paru vivre dans un bonheur digne d'envie. Nous les avions
cru presque égaux entre eux, ou du moins jouissant d'une
liberté qui n'était soumise qu'aux lois établies pour le bonheur de tous. Je me trompais ; la distinction des rangs est
fort marquée à Tahiti, et la disproportion cruelle. Les rois et
les grands ont droit de vie et de mort sur leurs esclaves et
valets ; je serais même tenté de croire qu'ils ont aussi ce
droit barbare sur les gens du peuple qu'ils nomment *Tata-
einou, hommes vils* ; toujours est-il sûr que c'est dans cette
classe infortunée qu'on prend les victimes pour les sacrifices
humains. La viande et le poisson sont réservés à la table des
grands ; le peuple ne vit que de légumes et de fruits. Jusqu'à

la manière de s'éclairer dans la nuit différencie les états, et l'espèce de bois qui brûle pour les gens considérables n'est pas la même que celle dont il est permis au peuple de se servir. Les rois seuls peuvent planter devant leurs maisons l'arbre que nous nommons *le saule pleureur* ou *l'arbre du grand seigneur*. On sait qu'en courbant les branches de cet arbre et les plantant en terre, on donne à son ombre la direction et l'étendue qu'on désire ; à Tahiti il est la salle à manger des rois.

Les seigneurs ont des livrées pour leurs valets ; suivant que la qualité des maîtres est plus ou moins élevée, les valets portent plus ou moins haut la pièce d'étoffe dont ils se ceignent. Cette ceinture pend immédiatement sous les bras aux valets des chefs, elle ne couvre que les reins aux valets de la dernière classe des nobles. Les heures ordinaires des repas sont lorsque le soleil passe au méridien et lorsqu'il est couché. Les hommes ne mangent point avec les femmes, celles-ci seulement servent aux hommes les mets que les valets ont apprêtés.

À Tahiti on porte régulièrement le deuil qui se nomme *eeva*. Toute la nation porte le deuil de ses rois. Le deuil des pères est fort long. Les femmes portent celui des maris, sans que ceux-ci leur rendent la pareille. Les marques de deuil sont de porter sur la tête une coiffure de plumes dont la couleur est consacrée à la mort, et de se couvrir le visage d'un voile. Quand les gens en deuil sortent de leurs maisons, ils sont précédés de plusieurs esclaves qui battent des castagnettes d'une certaine manière ; leur son lugubre avertit tout le monde de se ranger, soit qu'on respecte la douleur des gens en deuil, soit qu'on craigne leur approche comme sinistre et malencontreuse. Au reste, il en est à Tahiti comme partout ailleurs ; on y abuse des usages les plus respectables. Aotourou m'a dit que cet attirail du deuil était favorable aux rendez-vous, sans doute avec les femmes dont les maris sont peu complaisants. Cette claquette dont le son respecté écarte tout le monde, ce voile qui cache le visage, assurent aux amants le secret et l'impunité

Dans les maladies un peu graves, tous les proches parents se rassemblent chez le malade  Ils y mangent et y couchent tant que le danger subsiste ; chacun le soigne et le veille à son tour. Ils ont aussi l'usage de saigner ; mais ce n'est ni au bras ni au pied. Un *taoua*, c'est-à-dire un médecin ou prêtre inférieur, frappe avec un bois tranchant sur le crâne du malade, il ouvre par ce moyen la veine que nous nommons *sagittale* ; et lorsqu'il en a coulé suffisamment de sang, il ceint la tête d'un bandeau qui assujettit l'ouverture ; le lendemain il lave la plaie avec de l'eau.

Voilà ce que j'ai appris sur les usages de ce pays intéressant, tant sur les lieux mêmes que par mes conversations avec Aotourou. On trouvera à la fin de cet ouvrage le vocabulaire des mots tahitiens que j'ai pu rassembler. En arrivant dans cette île nous remarquâmes que quelques-uns des mots prononcés par les insulaires se trouvaient dans le vocabulaire inséré à la suite du voyage de Le Maire sous le titre de *Vocabulaire des îles des Cocos*. Ces îles, en effet, selon l'estime de Le Maire et de Schouten, ne sauraient être fort éloignées de Tahiti, peut-être font-elles partie de celles que m'a nommées Aotourou. La langue de Tahiti est douce, harmonieuse et facile à prononcer. Les mots n'en sont presque composés que de voyelles sans aspiration ; on n'y rencontre point de syllabes muettes, sourdes ou nasales, ni cette quantité de consonnes et d'articulations qui rendent certaines langues si difficiles. Aussi notre Tahitien ne pouvait-il parvenir à prononcer le français. Les mêmes causes qui font accuser notre langue d'être peu musicale la rendaient inaccessible à ses organes. On eût plutôt réussi à lui faire prononcer l'espagnol ou l'italien.

M. Pereire, célèbre par son talent d'enseigner à parler et bien articuler aux sourds et muets de naissance, a examiné attentivement et plusieurs fois Aotourou, et a reconnu qu'il ne pouvait physiquement prononcer la plupart de nos consonnes, ni aucune de nos voyelles nasales. M. Pereire a bien voulu me communiquer à ce sujet un mémoire qu'on trouvera inséré à la suite du vocabulaire de Tahiti.

Au reste, la langue de cette île est assez abondante ; j'en juge par ce que, dans le cours du voyage, Aotourou a mis en strophes cadencées tout ce qui l'a frappé. C'est une espèce de récitatif obligé qu'il improvisait. Voilà ses annales, et il nous a paru que sa langue lui fournissait des expressions pour peindre une multitude d'objets tous nouveaux pour lui. D'ailleurs, nous lui avons entendu chaque jour prononcer des mots que nous ne connaissions pas encore, et, entre autres, déclamer une longue prière, qu'il appelle la prière des rois, et, de tous les mots qui la composent, je n'en sais pas dix.

J'ai appris d'Aotourou qu'environ huit mois avant notre arrivée dans son île, un vaisseau anglais y avait abordé. C'est celui que commandait M. Wallas. Le même hasard qui nous a fait découvrir cette île y a conduit les Anglais, pendant que nous étions à la rivière de la Plata. Ils y ont séjourné un mois, et, à l'exception d'une attaque que leur ont faite les insulaires qui se flattaient d'enlever le vaisseau, tout s'est passé à l'amiable. Voilà, sans doute, d'où proviennent et la connaissance du fer, que nous avons trouvée aux Tahitiens, et le nom d'*aouri* qu'ils lui donnent, nom assez semblable pour le son au mot anglais *iron, fer*, qui se prononce *airon*. J'ignore maintenant si les Tahitiens, avec la connaissance du fer, doivent aussi aux Anglais celle des maux vénériens que nous y avons trouvés naturalisés, comme on le verra bientôt.

<br>

DIDEROT :
## COMPTE RENDU DU *VOYAGE DE BOUGAINVILLE*
### destiné à la *Correspondance littéraire*

L'ouvrage est dédié au roi ; il est précédé d'un discours préliminaire où l'auteur rend compte de tous les voyages entrepris autour du globe. M. de Bougainville est le premier Français qui ait tenté cette difficile et périlleuse course. Les jeunes années de M. de Bougainville ont été occupées de l'étude des mathématiques, ce qui suppose une vie sédentaire. On ne conçoit pas trop comment on passe de la tranquillité et du loisir d'une condition méditative et renfermée à l'envie de voyager ; à moins qu'on ne regarde le vaisseau comme une maison flottante où l'homme traverse des espaces immenses, resserré et immobile dans une enceinte très étroite, parcourant les mers sur une planche comme les plages de l'univers sur la terre. Une autre contradiction apparente entre le caractère de M. de Bougainville et son entreprise, c'est son goût pour les amusements de société. Il aime les femmes, les spectacles, les repas délicats ; il vit dans le tourbillon du grand monde auquel il se prête d'aussi bonne grâce qu'aux in-

constances de l'élément sur lequel il a été ballotté si longtemps. Il est aimable et gai ; c'est un véritable Français lesté
d'un bord par un Traité de calcul intégral et différentiel, de
l'autre par un Voyage autour du monde. Il était bien pourvu
des connaissances nécessaires pour profiter de sa longue
tournée ; il a de la philosophie, de la fermeté, du courage, des
vues, de la franchise ; le coup d'œil qui saisit le vrai, et abrège
le temps des observations, de la circonspection, de la patience,
le désir de voir, de s'instruire et d'être utile, des mathématiques,
des mécaniques, des connaissances en histoire naturelle, de
la géométrie et de l'astronomie.

On peut rapporter les avantages de ses voyages à trois points
principaux, une meilleure connaissance de notre vieux domicile et de ses habitants, plus de sûreté sur les mers qu'il a
parcourues la sonde à la main, et plus de correction dans
nos cartes. Les marins et les géographes ne peuvent donc se
dispenser de la lecture de son ouvrage. Il est écrit sans em-
phase, avec le seul intérêt de la chose, de la vérité et de la simplicité. On voit par différentes citations d'anciens auteurs
que Virgile était dans la tête ou dans la malle du voyageur.

M. de Bougainville part de Nantes, traverse les mers
jusqu'au détroit de Magellan, entre dans la mer Pacifique,
serpente entre les îles qui forment cet archipel immense
compris entre les Philippines et la Nouvelle Hollande, rase
Madagascar, le cap de Bonne-Espérance, achève son tour
par l'Atlantique, tourne l'Afrique, et rentre dans son pays à
Saint-Malo.

Je n'aurais jamais cru que les animaux s'approchassent de
l'homme sans crainte et que les oiseaux vinssent se poser sur
lui, lorsqu'ils ignoraient les périls de cette familiarité ; M. de
Bougainville ne me laisse pas douter du fait.

L'homme a pu passer du continent dans une île ; mais le
chien, le cerf, la biche, le loup, les renards, comment ont-ils
été transportés sur les îles ?

J'invite toutes les puissances maritimes de n'envoyer dans
leurs possessions d'outre-mer, pour commandants, résidents,
supérieurs que des âmes honnêtes, des hommes bienfaisants,
des sujets pleins d'humanité et capables de compatir aux in-
fortunes d'un voyageur qui, après avoir erré des mois entiers
entre le ciel et la terre, entre la mort et la vie, avoir été battu
des tempêtes, menacé cent fois de périr par naufrage, par
maladie, par disette de pain et d'eau, vient, son bâtiment

fracassé, se jeter expirant de fatigue et de misère aux pieds d'un monstre d'airain qui lui refuse ou qui lui fait attendre impitoyablement les secours les plus pressants ; cette dureté est un crime digne d'un châtiment sévère.

M. de Bougainville se tire avec une impartialité très adroite de l'expulsion des jésuites du Paraguay, événement dont il a été témoin. Il ne dit pas sur ce fait tout ce qu'il sait ; mais il n'en est pas moins évident que ces cruels Spartiates en jaquette noire en usaient avec leurs esclaves indiens comme les ilotes étaient traités à Lacédémone ; les avaient condamnés à un travail opiniâtre et assidu ; jouissaient de leur sueur ; ne leur avaient laissé aucun des droits de propriété ; les tenaient dans l'abrutissement de la superstition ; se faisaient porter la vénération la plus profonde, et marchaient au milieu de ces pauvres malheureux un fouet à la main dont ils frappaient indistinctement tout âge et tout sexe ; qu'ils s'étaient soustraits à l'autorité des souverains par adresse, et qu'un siècle de plus leur expulsion aurait été impossible ou la cause d'une longue guerre.

Ces Patagons dont le capitaine Byron et le docteur Maty ont tant fait de bruit, M. de Bougainville les a vus à la Terre de Feu ; eh bien ce sont de bonnes gens qui vous embrassent en criant chaoua, qui sont forts et vigoureux, mais qui n'excèdent pas la hauteur de cinq pieds cinq à six pouces et qui n'ont d'énorme que leur carrure, la grosseur de leur tête et l'épaisseur de leurs membres. Comment l'homme né avec le goût pour le merveilleux verrait-il les choses comme elles sont, lorsqu'il a de plus à justifier par le prodige la peine qu'il s'est donnée pour voir. Les voyageurs entre les historiens, et les érudits entre les littérateurs, doivent être les plus crédules et les plus ébahis des hommes ; ils mentent, ils exagèrent, ils trompent et cela sans mauvaise foi.

L'ouvrage de M. de Bougainville montre en plusieurs endroits l'homme sauvage communément si stupide que les chefs-d'œuvre de l'industrie humaine ne l'affectent non plus que les grands phénomènes de la nature ; il a toujours vu ces phénomènes ; il n'y pense pas ; il ne s'en émerveille point ; et il lui manque une certaine quantité d'idées élémentaires qui le conduiraient à une véritable estimation des chefs-d'œuvre de l'art. C'est de la défense journalière contre les bêtes féroces que le caractère cruel qu'on lui remarque quelquefois a pu tirer sa première origine. On lui trouve de la douceur et de l'innocence dans les contrées isolées où rien ne trouble son repos et sa sécurité. Toute guerre naît d'une prétention commune à la même propriété ; le tigre a une prétention commune avec l'homme à la possession des forêts, et c'est la plus vieille, la première des prétentions ; l'homme a une prétention commune avec l'homme à la possession d'un champ dont ils occupent chacun une des extrémités.

Si vous jetez les yeux sur l'île des Lanciers, vous ne pourrez vous empêcher de vous demander qui est-ce qui a placé là ces hommes ? Quelle communication les lie à la chaîne des autres êtres ? et que deviennent-ils en se multipliant sur une île qui n'a pas plus d'une lieue de diamètre ? M. de Bougainville n'en sait rien. Je répondrais à la dernière des questions, ou qu'ils s'exterminent ou qu'ils se mangent, ou que la multiplication en est retardée par quelque loi superstitieuse, ou qu'ils périssent sous le couteau sacerdotal. Je répondrais encore qu'avec le temps on a dû mettre de l'honneur à se faire égorger ; toutes les institutions civiles et nationales se consacrent et dégénèrent à la longue en lois surnaturelles et divines, et réciproquement toutes les lois surnaturelles et divines se fortifient et s'éternisent en dégénérant en lois civiles et nationales. C'est une des palingénésies les plus funestes au bonheur et à l'instruction de l'espèce humaine.

Le secret de dessaler l'eau de la mer selon l'appareil de Poissonnier est donc une découverte d'une utilité réelle. Je m'en réjouis ; en vingt-quatre heures on en obtient une barrique d'eau douce.

Ah ! Monsieur de Bougainville, éloignez votre vaisseau des rives de ces innocents et fortunés Tahitiens ; ils sont heureux et vous ne pouvez que nuire à leur bonheur. Ils suivent l'instinct de la nature, et vous allez effacer ce caractère auguste et sacré. Tout est à tous, et vous allez leur porter la funeste distinction du tien et du mien. Leurs femmes et leurs filles sont communes, et vous allez allumer entre eux les fureurs de l'amour et de la jalousie. Ils sont libres et voilà que vous enfouissez dans une bouteille de verre le titre extravagant de leur futur esclavage. Vous prenez possession de leur contrée, comme si elle ne leur appartenait pas ; songez que vous êtes aussi injuste, aussi insensé d'écrire sur votre lame de cuivre, ce pays est à nous, parce que vous y avez mis le pied, que si un Tahitien débarquait sur nos côtes, et qu'après y avoir mis le pied, il gravait ou sur une de nos montagnes ou sur un de nos chênes, ce pays appartient aux habitants du Tahiti. Vous êtes le plus fort, et qu'est-ce que cela fait ? Vous criez contre l'hobbisme[1] social et vous l'exercez de nation à nation. Commercez avec eux, prenez leurs denrées, portez-leur les vôtres, mais ne les enchaînez pas. Cet homme dont vous vous emparez comme de la brute ou de la plante est un enfant de nature comme vous. Quel droit avez-vous sur lui ? Laissez-lui ses mœurs, elles sont plus honnêtes et plus sages que les vôtres. Son ignorance vaut mieux que toutes vos lumières ; il n'en a que faire. Il ne connaissait point une vilaine maladie, vous la lui avez portée, et bientôt ses jouissances seront affreuses. Il ne connaissait point le crime ni la débauche, les jeunes filles se livraient aux caresses des jeunes gens, en présence de leurs parents au milieu d'un cercle d'innocents habitants, au son des flûtes, entre les danses, et vous allez empoisonner leurs âmes de vos extravagantes et fausses idées, et réveiller en eux des notions de vice, avec vos chimériques notions de pudeur. Enfoncez-vous dans les ténèbres avec la compagne corrompue de vos plaisirs, mais permettez aux bons et simples Tahitiens de se reproduire sans honte à la face du ciel et au grand jour. À peine vous êtes-vous montré parmi eux qu'ils sont devenus voleurs ; à peine êtes-vous descendu dans leur terre qu'elle a été teinte de sang ; ce Tahitien qui vous reçut en criant *Tayo, ami, ami*, vous l'avez tué, et pourquoi l'avez-vous tué ? Parce qu'il avait été séduit par l'éclat de vos guenilles européennes ; il vous donnait ses fruits, sa maison, sa femme, sa fille, et vous l'avez tué pour un morceau de verre qu'il vous dérobait. Ces Tahitiens, je les vois se sauver sur les montagnes, remplis d'horreur et de crainte ; sans ce vieillard respectable qui vous protège, en un instant vous seriez tous égorgés. Ô père respectable de cette famille nombreuse, que je t'admire, que je te loue ! Lorsque tu jettes des regards de dédain sur ces étrangers sans marquer ni étonnement, ni frayeur, ni crainte, ni curiosité ; ton silence, ton air rêveur et soucieux ne décèlent que trop ta pensée : tu gémis au-dedans de toi-même sur les beaux jours de ta contrée éclipsés. Console-toi ; tu touches à tes derniers instants et la calamité que tu pressens, tu ne la verras pas. Vous vous promenez, vous et les vôtres, Monsieur de Bougainville, dans toute l'île ,

---

1. Doctrine du philosophe anglais Hobbes selon lequel, dans l'état de nature, l'homme est un loup pour l'homme.

partout vous êtes accueilli ; vous jouissez de tout. et personne
ne vous en empêche ; vous ne trouvez aucune porte fermée,
parce que l'usage des portes est ignoré ; on vous invite, vous
vous asseyez ; on vous étale toute l'abondance du pays.
Voulez-vous de jeunes filles ? ne les ravissez pas ; voilà leurs
mères qui vous les présentent toutes nues ; voilà les cases
pleines d'hommes et de femmes ; vous voilà possesseur de la
jeune victime du devoir hospitalier ; la terre se jonche de
feuillages et de fleurs ; les musiciens ont accordé leurs instruments ; rien ne troublera la douceur de vos embrassements ;
on y répondra sans contrainte ; l'hymne se chante ; l'hymne
vous invite à être homme ; l'hymne invite votre amante à
être femme et femme complaisante, voluptueuse et tendre ; et
c'est au sortir des bras de cette femme que vous avez tué son
ami, son frère, son père peut-être ! Enfin vous vous éloignez
de Tahiti ; vous allez recevoir les adieux de ces bons et simples
insulaires ; puissiez-vous et vous et vos concitoyens et les
autres habitants de notre Europe être engloutis au fond des
mers plutôt que de les revoir. Dès l'aube du jour ils s'aperçoi-
vent que vous mettez à la voile ; ils se précipitent sur vous ;
ils vous embrassent, ils pleurent. Pleurez, malheureux Tahitiens, pleurez ; mais que ce soit de l'arrivée et non du départ de
ces hommes ambitieux, corrompus et méchants. Un jour vous
les connaîtrez mieux ; un jour ils viendront un crucifix dans
une main et le poignard dans l'autre, vous égorger ou vous for-
cer à prendre leurs mœurs et leurs opinions ; un jour vous
serez sous eux presque aussi malheureux qu'eux.

M. de Bougainville embarqua avec lui un jeune habitant du
pays ; à la première terre que le Tahitien aperçut, il crut que
c'était la patrie du voyageur. Aotourou, c'est le nom du Tahitien, n'a cessé de soupirer après son pays, et M. de Bougainville l'a renvoyé, après avoir fait toute la dépense et pris toutes
les précautions possibles pour la sûreté de son voyage. Ô Aotourou, que tu seras content de revoir ton père, ta mère, tes
frères, tes sœurs, ta maîtresse et tes compatriotes ! que leur
diras-tu de nous ?

Les Tahitiens laissent croître leurs ongles à tous les doigts,
excepté à celui du milieu de la main droite.

Le chevalier de Bournaud, compagnon de voyage de M. de
Bougainville, avait un domestique appelé Barré. À la descente
dans l'île de Tahiti, les Tahitiens entourèrent Barré, crient que
c'est une femme, et se disposent à lui faire les honneurs de

l'île. Barré était en effet une fille qui née en Bourgogne et orpheline s'était déguisée en homme et avait été séduite par le désir de faire le tour du monde. Elle n'était ni laide ni jolie ; elle avait vingt-six à vingt-sept ans, et elle avait montré pendant tout le voyage le plus grand courage et la plus scrupuleuse sagesse.

M. de Bougainville loue beaucoup les moyens dont les Hollandais se sont assuré le commerce général des épices, la cannelle, le gérofle et la muscade ; d'abord en achetant les feuilles des arbres qui dépouillés pendant trois ans ne manquaient pas de périr, ensuite en détruisant les plants au loin, et les renfermant dans une enceinte assez étroite pour être gardée. La première tentative pour leur enlever cette richesse réussira ; et ce qui doit étonner, c'est que la chose n'ait pas été faite en moins de deux ans.

Le voyage de M. de Bougainville est suivi d'un petit vocabulaire tahitien où l'on voit que l'alphabet de ce peuple n'a ni *b*, ni *c*, ni *d*, ni *f*, ni *g*, ni *q*, ni *x*, ni *y*, ni *z* ; ce qui explique pourquoi Aotourou qui était dans un certain âge, ne put jamais apprendre à parler notre langue où il y avait trop d'articulations étrangères et trop de sons nouveaux pour ses organes inflexibles.

Après le vocabulaire on trouve quelques observations de M. Peirere, interprète du roi qui achève de justifier le jeune Tahitien.

Voici le seul voyage dont la lecture m'ait inspiré du goût pour une autre contrée que la mienne. Jusques à présent le dernier résultat de mes réflexions avait toujours été qu'on n'était nulle part mieux que chez soi ; résultat que je croyais le même pour chaque habitant de la terre en particulier, effet naturel de l'attrait du sol, attrait qui tient aux commodités dont on jouit, et qu'on n'a pas la même certitude de retrouver ailleurs. Un habitant de Paris n'est pas aussi convaincu qu'il y ait des épis de blé dans la campagne de Rome que dans les champs de la Beauce.

Je parlerai à l'occasion du voyage de M. Anquetil[1] aux Indes, de l'esprit de voyage dont je ne suis pas grand admirateur, et j'en dirai mes raisons. Je ne me suis point étendu sur les détails les plus importants de ce tour du monde, parce qu'ils

---

1. Anquetil-Duperron (1731-1805) publia une relation abrégée de son voyage en Inde en 1762 et une traduction de Zoroastre en 1771.

consistent presque entièrement en observations nautiques, astronomiques et géographiques, aussi essentielles à la connaissance du globe et à la sûreté de la navigation que les récits qui remplissent la plupart des autres voyageurs, le sont à la connaissance de l'homme, mais moins amusants que ceux-ci. Pour en profiter, il faut recourir à l'ouvrage même de M. de Bougainville auquel je renvoie, et dont j'avertis qu'on ne profitera guère sans être familier avec la langue des marins auxquels il me paraît que l'auteur l'a spécialement destiné, à en juger par le peu de soins qu'il a pris d'en rendre la lecture facile aux autres.

### DIDEROT : COMPARAISON DES PEUPLES POLICÉS ET DES PEUPLES SAUVAGES,

publiée dans l'*Histoire des deux Indes* (1770)

Quoi qu'il en soit, et de leur origine et de leur ancienneté, très incertaines, un objet de curiosité plus intéressant peut-être est de savoir ou d'examiner si ces nations, encore à demi sauvages, sont plus ou moins heureuses que nos peuples civilisés. Si la condition de l'homme brut, abandonné au pur instinct animal, dont une journée employée à chasser, se nourrir, produire son semblable et se reposer devient le modèle de toutes ses journées, est meilleure ou pire que celle de cet être merveilleux, qui trie le duvet pour se coucher, file le coton du ver à soie pour se vêtir, a changé la caverne, sa première demeure, en un palais, a su varier ses commodités et ses besoins de mille manières différentes.

C'est dans la nature de l'homme qu'il faut chercher ses moyens de bonheur. Que lui faut-il pour être aussi heureux qu'il peut l'être ? La subsistance pour le présent, et, s'il pense à l'avenir, l'espoir et la certitude de ce premier bien. Or l'homme sauvage, que les sociétés policées n'ont pas repoussé ou contenu dans les zones glaciales, manque-t-il de ce nécessaire absolu ? S'il ne fait pas des provisions, c'est que la terre et la mer sont des magasins et des réservoirs toujours ouverts à ses besoins. La pêche ou la chasse sont de toute l'année, ou suppléent à la stérilité des saisons mortes. Le sauvage n'a pas des maisons bien fermées ni des foyers commodes, mais ses fourrures lui servent de toit, de vêtement et de poêle. Il ne travaille que pour sa propre utilité, dort quand il est fatigué, ne connaît ni les veilles ni les insomnies. La guerre est pour lui volontaire. Le péril, comme le travail, est une condition de sa nature et non une profession de sa naissance, un devoir de la nation, non une servitude de famille. Le sauvage est sérieux, et point triste : on voit rarement sur son front l'empreinte des passions et des maladies qui laissent des traces si hideuses ou si funestes. Il ne peut manquer de ce qu'il ne désire point, ni désirer ce qu'il ignore. Les commodités de la vie sont la plupart des remèdes à des maux qu'il ne sent pas. Les plaisirs sont un soulagement des appétits que rien n'excite dans ses sens. L'ennui n'entre guère dans son âme, qui n'éprouve ni privations, ni besoin de sentir ou d'agir, ni ce vide créé par les préjugés de la vanité. En un mot, le sauvage ne souffre que les maux de la nature.

Mais l'homme civilisé, qu'a-t-il de plus heureux ? Sa nourriture est plus saine et plus délicate que celle de l'homme sauvage. Il a des vêtements plus doux, un asile mieux défendu contre l'injure des saisons. Mais le peuple, qui doit faire la base et l'objet de la police sociale, cette multitude d'hommes qui, dans tous les États, supporte les travaux pénibles et les charges de la société, le peuple vit-il heureux, soit dans ces empires où les suites de la guerre et l'imperfection de la police l'ont mis dans l'esclavage, soit dans ces gouvernements où les progrès du luxe et de la politique l'ont conduit à la servitude ? Les gouvernements mitoyens[1] laissent entrevoir quelques rayons de félicité dans une ombre de liberté, mais à quel prix est-elle achetée cette sécurité ? Par des flots de sang qui repoussent quelques instants la tyrannie, pour la laisser retomber avec plus de fureur et de férocité sur une nation tôt ou tard opprimée. Voyez comment les Caligula, les Néron ont vengé l'expulsion des Tarquins et la mort de César.

La tyrannie, dit-on, est l'ouvrage des peuples et non des rois. Pourquoi la souffre-t-on ? Pourquoi ne réclame-t-on pas avec autant de chaleur contre les entreprises du despotisme qu'il

---

1. À la suite de Montesquieu, le gouvernement monarchique est considéré comme intermédiaire entre le mode républicain et le despotisme.

emploie de violence et d'artifice lui-même pour s'emparer de toutes les facultés des hommes ? Mais est-il permis de se plaindre et de murmurer sous les verges de l'oppresseur ? N'est-ce pas l'irriter, l'exciter à frapper jusqu'au dernier soupir de la victime ? À ses yeux, les cris de la servitude sont une rébellion. On les étouffe dans une prison, souvent même sur un échafaud. L'homme qui revendiquerait les droits de l'homme périrait dans l'abandon ou dans l'infamie. On est donc réduit à souffrir la tyrannie sous le nom de l'autorité.

Dès lors, à quels outrages l'homme civil n'est-il pas exposé ? S'il a quelque propriété, jusqu'à quel point en est-il assuré, quand il est obligé d'en partager le produit entre l'homme de cour qui peut attaquer son fonds, l'homme de loi qui lui vend les moyens de le conserver, l'homme de guerre qui peut le ravager et l'homme de finance qui vient y lever des droits toujours illimités dans le pouvoir qui les exige ? Sans propriété, comment se promettre une subsistance durable ? Quel est le genre d'industrie à l'abri des événements de la fortune et des atteintes du gouvernement ?

Dans les bois de l'Amérique, si la disette règne au nord, on dirige ses courses au midi. Le vent ou le soleil mènent une peuplade errante aux climats les moins rigoureux. Entre les portes et les barrières qui ferment nos États policés, si la famine, ou la guerre, ou la peste, répandent la mortalité dans l'enceinte d'un empire, c'est une prison où l'on ne peut que périr dans les langueurs de la misère, ou dans les horreurs du carnage. L'homme qui s'y trouve né pour son malheur s'y voit condamné à souffrir toutes les vexations, toutes les rigueurs que l'inclémence des saisons et l'injustice des gouvernements y peuvent exercer.

Dans nos campagnes, le colon serf de la glebe, ou mercenaire libre, remue toute l'année des terres dont le sol et le fruit ne lui appartiennent point, trop heureux quand ses travaux assidus lui valent une portion des récoltes qu'il a semées. Observé, tourmenté par un propriétaire inquiet et dur, qui lui dispute jusqu'à la paille où la fatigue va chercher un sommeil court et troublé, ce malheureux s'expose chaque jour à des maladies qui, jointes à la disette où sa condition le réduit, lui font désirer la mort plutôt qu'une guérison dispendieuse et suivie d'infirmités et de travaux. Tenancier ou sujet, esclave à double titre, s'il a quelques arpents, un seigneur y va recueillir ce qu'il n'a point semé ; n'eût-il qu'un attelage de bœufs ou de

chevaux, on les lui fait tramer à la corvée ; s'il n'a que sa personne, le prince l'enlève pour la guerre. Partout des maîtres, et
toujours des vexations.

Dans nos villes, l'ouvrier et l'artisan sans atelier subissent
la loi des chefs avides et oisifs, qui, par le privilège du mono-
pole, ont acheté du gouvernement le pouvoir de faire travailler
l'industrie pour rien et de vendre ses ouvrages à très haut
prix. Le peuple n'a que le spectacle du luxe dont il est doublement la victime et par les veilles et les fatigues qu'il lui coûte
et par l'insolence d'un faste qui l'humilie et l'écrase.

Quand même on supposerait que les travaux et les périls de
nos métiers destructeurs, des carrières, des mines, des forges
et de tous les arts à feu, de la navigation et du commerce
dans toutes les mers seraient moins pénibles, moins nuisibles
que la vie errante des sauvages chasseurs ou pêcheurs, quand
on croirait que des hommes qui se lamentent pour des peines,
des affronts, des maux qui ne tiennent qu'à l'opinion sont
moins malheureux que des sauvages qui, dans les tortures et
les supplices même, ne versent pas une larme, il resterait
encore une distance infinie entre le sort de l'homme civil et
celui de l'homme sauvage, différence tout entière au désavantage de l'état social. C'est l'injustice qui règne dans l'inégalité factice des fortunes et des conditions : inégalité qui naît de
l'oppression et la reproduit.

En vain l'habitude, les préjugés, l'ignorance et le travail
abrutissent le peuple jusqu'à l'empêcher de sentir sa dégra-
dation : ni la religion ni la morale ne peuvent lui fermer les
yeux sur l'injustice de la répartition des maux et des biens
de la condition humaine, dans l'ordre politique. Combien de
fois a-t-on entendu l'homme du peuple demander au ciel quel
était son crime pour naître sur la terre dans un état d'indigence et de dépendance extrêmes ? Y eût-il de grandes peines
inséparables des conditions élevées, ce qui peut-être anéantit
tous les avantages et la supériorité de l'état civil sur l'état de
nature, l'homme obscur et rampant, qui ne connaît pas ces
peines, ne voit dans un haut rang qu'une abondance qui fait
sa pauvreté. Il envie à l'opulence des plaisirs dont l'habitude
même ôte le sentiment au riche qui peut en jouir. Quel est
le domestique qui peut aimer son maître ? Et qu'est-ce que
l'attachement des valets ? Quel est le prince vraiment chéri de
ses courtisans, même lorsqu'il est haï de ses sujets ? Que, si
nous préférons notre état à celui des peuples sauvages, c'est

par l'impuissance où la vie civile nous a réduits de supporter certains maux de la nature où le sauvage est plus exposé que nous ; c'est par l'attachement à certaines douceurs dont l'habitude nous a fait un besoin. Encore, dans la force de l'âge, un homme civilisé s'accoutumera-t-il, avec des sauvages, à rentrer même dans l'état de nature ; témoin cet Écossais qui, jeté et abandonné seul dans l'île Fernandez, ne fut malheureux que jusqu'au temps où les besoins physiques l'occupèrent assez pour lui faire oublier sa patrie, sa langue, son nom, et jusqu'à l'articulation des mots. Après quatre ans, cet Européen se sentit soulagé du grand fardeau de la vie sociale, quand il eut le bonheur d'avoir perdu l'usage de la réflexion et de la pensée, qui le ramenaient vers le passé, ou le tourmentaient de l'avenir[1].

Enfin, le sentiment de l'indépendance étant un des premiers instincts de l'homme, celui qui joint à la jouissance de ce droit primitif la sûreté morale d'une subsistance suffisante est incomparablement plus heureux que l'homme riche environné de lois, de maîtres, de préjugés et de modes qui lui font sentir à chaque instant la perte de sa liberté. Comparez l'état des sauvages à celui des enfants, n'est-ce pas décider la question si fortement débattue entre les philosophes sur les avantages de l'état de nature et de l'état social ? Les enfants, malgré les gênes de l'éducation, ne sont-ils pas dans l'âge le plus heureux de la vie humaine ? Leur gaieté habituelle, tant qu'ils ne sont pas sous la verge du pédantisme, n'est-elle pas le plus sûr indice du bonheur qui leur est propre ? Après tout, un mot peut terminer ce grand procès. Demandez à l'homme civil s'il est heureux. Demandez à l'homme sauvage s'il est malheureux. Si tous deux vous répondent NON, la dispute est finie.

Peuples civilisés, ce parallèle est sans doute affligeant pour vous, mais vous ne sauriez ressentir trop vivement les calamités sous le poids desquelles vous gémissez. Plus cette sensation vous sera douloureuse et plus elle sera propre à vous rendre attentifs aux véritables causes de vos maux. Peut-être enfin parviendrez-vous à vous convaincre qu'ils ont leur source dans le dérèglement de vos opinions, dans les vices de vos constitutions politiques, dans les lois bizarres par lesquelles celles de la nature sont sans cesse outragées.

1. Il s'agit d'Alexandre Selkirk, modèle pour *Robinson Crusoé*. Voir p. 92 et n. 2.

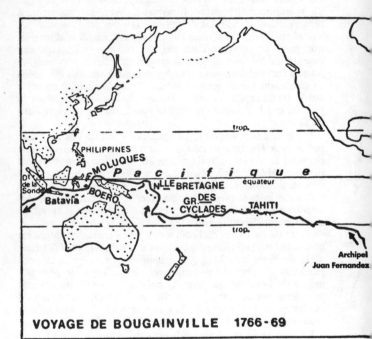

PHILIPPINES

MOLUQUES

P a c i f i q u e

Dt de la Sonde

Batavia

BOERO

N<sup>LLE</sup> BRETAGNE

GR<sup>DES</sup> CYCLADES

TAHITI

trop.

équateur

trop.

Archipel Juan Fernandez

**VOYAGE DE BOUGAINVILLE   1766-69**

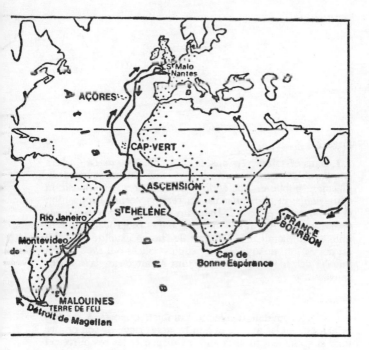

ACORES

St Malo
Nantes

CAP-VERT

ASCENSION

Rio Janeiro

STE HÉLÈNE

FRANCE
BOURBON

Montevideo

de

Cap de
Bonne Espérance

MALOUINES
TERRE DE FEU
Détroit de Magellan

# NOTES

*Page 27.*

**1.** Dans certaines versions, le conte *Madame de La Carlière* comporte un sous-titre parallèle : « Sur l'inconséquence du jugement public de nos actions particulières ». L'opposition entre *public* et *particulier* est ici remplacée par l'opposition entre *physique* et *moral*. Dans un des *Fragments politiques échappés du portefeuille d'un philosophe*, Diderot met une limite à son libéralisme, à propos de l'homosexualité : « [...] il est des actions auxquelles les peuples policés ont avec raison attaché des idées de moralité tout à fait étrangères à des sauvages. »

*Page 29.*

**1.** « Ah ! combien meilleurs, combien opposés à de tels principes sont les avis de la nature, assez riche de son propre fond si seulement tu veux en bien dispenser les ressources et ne pas mêler ensemble ce qu'on doit fuir, ce qu'on doit rechercher. Crois-tu qu'il soit indifférent que tu souffres par ta faute ou par celle des choses ? » (*Satires*, trad. François Villeneuve, Les Belles Lettres, 1932). D'un point de vue épicurien, il faut satisfaire les désirs physiques, naturels, sans les mêler avec des considérations morales ou sociales. Le libertin, explique Horace dans le contexte romain, doit se satisfaire avec des courtisanes, sans chercher à séduire des femmes mariées que la société protège. — L'épigraphe manque dans certains manuscrits. Elle est ajoutée en marge sur le manuscrit Naigeon.

# I

2. Le conte *Madame de La Carlière* s'ouvre et s'achève également par des considérations météorologiques. « Rentrons-nous ? — C'est de bonne heure. — Voyez-vous ces nuées ? — Ne craignez rien ; elles disparaîtront d'elles-mêmes et sans le secours de la moindre haleine de vent. — Vous croyez ? — J'en ai fait souvent l'observation en été dans les temps chauds. La partie basse de l'atmosphère que la pluie a dégagée de son humidité va reprendre une portion de la vapeur épaisse qui forme le voile obscur qui vous dérobe le ciel. La masse de cette vapeur se distribuera à peu près également dans toute la masse de l'air, et par cette exacte distribution ou combinaison, comme il vous plaira de dire, l'atmosphère deviendra transparente et lucide. C'est une opération de nos laboratoires qui s'exécute en grand au dessus de nos têtes » (*Les Deux Amis de Bourbonne* et autres contes, Folio, p. 79). Le dialogue se poursuit avec la description de la dissolution de la vapeur d'eau dans l'air qui entraîne la disparition des brumes et nuages. Celui des deux interlocuteurs qui se pique de connaissances météorologiques promet pour la nuit un ciel étoilé. Aussi le conte s'achève-t-il par le retour des deux promeneurs : « voilà le jour qui tombe et la nuit qui s'avance avec ce nombreux cortège d'étoiles que je vous avais promis » (p. 106). Le *Supplément au Voyage de Bougainville* pourrait constituer la discussion du lendemain. — La météorologie qui était étymologiquement la science des météores devient celle des « différentes altérations et changements qui arrivent dans l'air et dans le temps » (*Encyclopédie*). L'âge classique perfectionne les instruments destinés à « montrer l'état ou la disposition de l'atmosphère, par rapport à la chaleur ou au froid, au poids, à l'humidité, *etc.* comme aussi pour mesurer les changements qui lui arrivent à ces égards, et pour servir par conséquent à prédire les altérations du temps, comme pluie, vent, neige, *etc.* » : baromètres, thermomètres, hygromètres, manomètres, anémomètres. L'Académie des sciences publiait chaque année un volume d'observations météorologiques, avec les précipitations, les variations de température et de pression atmosphérique.

3. L'éponge : la partie basse de l'atmosphère gorgée d'eau.

4. Le Dictionnaire de Trévoux ne connaît en effet en 1771 qu'un sens technique. Saturer un liquide, « c'est mettre une substance qui s'y dissolve en assez grande quantité pour qu'elle n'en puisse plus dissoudre. Une certaine quantité d'eau ne peut dissoudre qu'une certaine quantité de sucre. Quand elle a dissous tout ce qu'elle en peut dissoudre, on dit qu'elle est *saturée*. »

*Page 30.*

1. Le *Voyage autour du monde par la frégate du roi La Boudeuse, et la flûte L'Étoile en 1766, 1767, 1768 et 1769* paraît en 1771. Voir l'édition de Jacques Proust, Folio, 1982. La flûte est le navire qui accompagne le bateau principal et transporte le matériel.

2. Louis Antoine de Bougainville (1729-1811) servit comme officier au Canada, puis devint capitaine de vaisseau pour deux campagnes aux îles Malouines (1763-1765) dont le récit a été publié par Dom Pernetty, l'aumônier du voyage (*Histoire d'un voyage aux îles Malouines*, 1768-1769), mais la France renonça à la possession de ces îles qu'elle céda à l'Espagne et qui devinrent anglaises en 1771. Bougainville boucla un tour du monde, de 1766 à 1769. Il participa ensuite à la guerre d'indépendance américaine et collabora à la préparation du voyage de La Pérouse. Il a publié un *Traité de calcul intégral, pour servir à l'étude des infiniment petits de M. le marquis de l'Hôpital* en 1755 et son *Voyage autour du monde* en 1771. — Roger Lewinter rapproche Bougainville d'un autre mathématicien, d'Alembert. « Le *Supplément au Voyage de Bougainville* apparaît ainsi comme un nouveau *Rêve de d'Alembert* : vaticination inspirée, extravagante » (*Œuvres complètes*, t. X, p. 145).

3. Après avoir été le principe d'une dévotion éclairée, telle que la définit le traité de Caraccioli, *De la gaieté* (1762), la gaieté exprime l'accord avec soi-même et les autres, dans l'article que lui consacre l'*Encyclopédie* : « La gaieté est le don le plus heureux de la nature. C'est la manière la plus agréable d'exister pour les autres et pour soi. » La caractériologie des nations en fait le propre des Français. « La douceur de la société, la gaieté, la frivolité étaient leur importante et leur unique affaire », selon Voltaire dans *La Princesse de Baby lone* (chap. x). La France d'Ancien Régime était « la nation d'Europe qui avait le plus de grâce, de goût et de gaieté »,

estime encore Mme de Staël dans *De la littérature* (1800). Voir Jocelyn Huchette, « La gaieté française ou la question du caractère national dans la définition du rire, de *L'Esprit des lois* à *De la littérature* », *Dix-huitième siècle*, 32, 2000.

### Page 31.

1. La sonde de mer est définie par l'*Encyclopédie* comme « une corde chargée d'un gros plomb, autour duquel il y a un creux rempli de suif, que l'on fait descendre dans la mer, tant pour reconnaître la couleur et la qualité du fond qui s'attache au suif, que pour savoir la profondeur du parage où l'on est ».

2. La remarque de Diderot correspond à la volonté de Bougainville de ne pas altérer son témoignage en en écartant tous les aspects techniques (voir *Voyage*, p. 209). Il répond peut-être aux critiques de lecteurs rebutés par le langage technique des marins. Galiani, l'ami de Diderot, de retour à Naples, a réclamé le *Voyage* dès sa parution. Il écrit : « Je lis Bougainville à force et entends mieux le tahiti que son patois marin », et, quelques jours plus tard, « Bougainville est cause que je parle marin » (Galiani-Épinay, *Correspondance*, II, Desjonquères, 1993, p. 216 et 219). Deux ans après Bougainville, Bernardin de Saint-Pierre inclura un lexique dans un *Voyage à l'Ile de France, l'Ile de Bourbon, au Cap de Bonne-Espérance* : « Explication de quelques termes de marine, à l'usage des lecteurs qui ne sont pas marins (Paris, 1773, t. II, p. 132-156).

3. « *Course* se dit aussi des voyages » et « du temps qu'un vaisseau met à aller d'un lieu à un autre, surtout dans les voyages de long cours » (Trévoux).

4. Nouvelle Hollande : l'Australie.

### Page 32.

1. Alliés aux Espagnols, les Français subirent à Rio-de-Janeiro les conséquences de la guerre entre Portugais et Espagnols.

2. La scène se passe dans les îles Malouines : « Ce fut un spectacle singulier de voir, à notre arrivée, tous les animaux, jusqu'alors seuls habitants de l'île, s'approcher de nous sans crainte et ne témoigner d'autres mouvements que ceux que la curiosité inspire à la vue d'un objet inconnu. Les oiseaux se laissaient prendre à la main, quelques-uns venaient d'eux-mêmes se poser sur les gens qui étaient arrêtés ; tant il

est vrai que l'homme ne porte point empreint un caractère de férocité qui fasse reconnaître en lui, par le seul instinct, aux animaux faibles, l'être qui se nourrit de leur sang. Cette confiance ne leur a pas duré longtemps : ils eurent bientôt appris à se méfier de leur plus cruel ennemi » (*Voyage autour du monde*, p. 81).

### Page 33.

1. Bougainville remarque à propos du loup-renard : « Comment a-t-il été transporté sur les îles ? » (*Voyage autour du monde*, p. 98). La même question va se poser à propos des habitants des îles.

2. L'hypothèse d'un arrachement des Malouines au massif de l'Amérique du Sud est avancée par Dom Pernetty dans l'*Histoire d'un voyage aux îles Malouines* (1770).

3. « Partout nous vîmes la mer briser avec la même force, sans une seule anse, sans la moindre crique qui pût servir d'abri et rompre la lame. Perdant ainsi toute espérance de pouvoir y débarquer, à moins d'un risque évident de briser les bateaux, nous remettions le cap en route, lorsqu'on cria qu'on voyait deux ou trois hommes accourir au bord de la mer. Nous n'eussions jamais pensé qu'une île aussi petite pût être habitée » (*Voyage autour du monde*, p. 215-216). Bougainville la nomme île des Lanciers, elle s'appelle aujourd'hui Akiaki.

4. Bougainville se demande à propos des habitants de cette petite île perdue au milieu de l'océan : « Qui me dira comment ils ont été transportés jusqu'ici, quelle communication les lie à la chaîne des autres êtres, et ce qu'ils deviennent en se multipliant sur une île qui n'a pas plus d'une lieue de diamètre ? » (*Voyage autour du monde*, p. 216). Sur les problèmes que pose l'origine de cette population, voir Jean-Pascal Le Goff, « Les fleurs d'Akiaki. Un épisode du voyage de Bougainville », *Dix-huitième siècle*, 22, 1990.

5. Pour l'*Histoire des deux Indes*, Diderot note que ce sont dans les îles que « sont nées cette foule d'institutions bizarres, qui mettent des obstacles à la population : l'anthropophagie, la castration des mâles, l'infibulation des femelles, les mariages tardifs, la consécration de la virginité, l'estime du célibat, les châtiments exercés contre les filles qui se hâtaient d'être mères, les sacrifices humains ».

6. Rapporté par Rechteren dans le *Recueil des voyages qui ont servi à l'établissement et aux progrès de la Compagnie des*

*Indes orientales* (Amsterdam, 1702-1706), cet usage choquant est mentionné par Buffon dans *De l'homme* et souvent cité au XVIIIᵉ siècle. Montesquieu l'explique par les conditions naturelles de survie. « Quelquefois le climat est plus favorable que le terrain ; le peuple s'y multiplie, et les famines le détruisent : c'est le cas où se trouve la Chine [...]. Les mêmes raisons font que dans l'île Formose, la religion ne permet pas aux femmes de mettre des enfants au monde qu'elles n'aient trente-cinq ans : avant cet âge, la prêtresse leur foule le ventre, et les fait avorter » *(De l'esprit des lois*, livre XXIII, chap. XVI, 1748). Helvétius dénonce ce qu'il nomme les vertus de préjugé, les vertus arbitraires imposées par la religion. « Dans cette même île, c'est un crime aux femmes enceintes d'accoucher avant l'âge de trente-cinq ans. Sont-elles grosses ? elles s'étendent aux pieds de la prêtresse, qui, en exécution de la loi, les y foule jusqu'à ce qu'elles soient avortées » *(De l'esprit*, Discours second, chap. XIV, 1758). Jean Nicholas Demeunier présente la coutume comme une façon de lutter contre la multiplication des habitants. « À Formose, des prêtresses foulaient le ventre des femmes qui devenaient grosses avant l'âge de trente-six ans » *(L'Esprit des usages et des coutumes des différents peuples*, tome second, IX, VI, 1776, rééd. 1785). Sade ne manque pas de se saisir de l'information en transformant complètement le contexte, il évoque « l'île charmante d'Otaïti, où la grossesse est un crime qui vaut quelquefois la mort à la mère, et presque toujours à son fruit » *(La Nouvelle Justine*, Œuvres, Bibl. de la Pléiade, t. II, p. 880) ; où les femmes « sont foulées aux pieds, si elles laissent voir le jour à leurs enfants, ou si elles ne les tuent pas dès qu'ils sont nés » *(ibid.*, p. 1066).

7. Sacrifice rituel.

8. Les philosophes des Lumières dénoncent quatre causes de la castration : la superstition religieuse qui conduit à renoncer au plaisir sexuel, la jalousie qui demande des eunuques comme gardiens des femmes, le désir de limiter la population et, en Europe même, le raffinement musical qui prend plaisir à la voix des castrats.

9. Infibulation : le terme ne s'applique qu'aux hommes dans l'*Encyclopédie* qui la définit comme une « opération, que les Anciens pratiquaient sur les jeune gens pour les empêcher d'avoir commerce avec les femmes ». La *fibula* est une « espèce de boucle ou d'anneau » qui servait à interdire toute pénétration sexuelle.

*Page 34.*

1. *Palingénésie* : « Ce mot signifie proprement renaissance, renouvellement » (Trévoux).

2. Le chapitre VII de la première partie de Bougainville présente des « Détails sur les missions du Paraguay, et l'expulsion des jésuites de cette province ». « C'est en 1580 que l'on voit les jésuites admis pour la première fois dans ces fertiles régions, où ils ont depuis fondé, sous le règne de Philippe III, les missions fameuses auxquelles on donne en Europe le nom du Paraguay » (p. 129). Ils y établirent une véritable théocratie à laquelle le roi d'Espagne mit fin en chassant la compagnie.

3. Les jésuites en robe noire sont comparés aux anciens Spartiates, ou Lacédémoniens, réputés pour l'austérité de leurs mœurs.

4. Ilotes : esclaves à Sparte. Bougainville précise les rythmes de travail dans les missions jésuites : « On voit par ce détail exact que les Indiens n'avaient en quelque sorte aucune propriété et qu'ils étaient assujettis à une uniformité de travail et de repos cruellement ennuyeuse. Cet ennui, qu'avec raison on dit mortel, suffit pour expliquer ce qu'on nous a dit, qu'ils quittaient la vie sans la regretter et mouraient sans avoir vécu » (p. 136). Les notes originales de Bougainville, publiées par E. Taillemite, sont encore plus sévères contre « les curés sultans ».

5. Les Indiens rencontrés près de la Terre de Feu avaient été décrits par le capitaine anglais Byron comme des géants de plus de 2 m,50 de haut. Bougainville les a trouvés nettement moins grands : « Ces hommes sont d'une belle taille ; parmi ceux que nous avons vus, aucun n'était au-dessous de cinq pieds cinq à six pouces, ni au-dessus de cinq pieds neuf à dix pouces [1 m,75 à 1 m,90] [...]. Ce qu'ils ont de gigantesque, c'est leur énorme carrure, la grosseur de leur tête et l'épaisseur de leurs membres » (p. 164). D'où un débat passionné où s'illustrèrent le docteur Maty, secrétaire de la Société royale de Londres, et La Condamine, savant français qui avait séjourné en Amérique du Sud. Buffon, dans une addition de 1777 à son traité *De l'homme*, admet l'existence des géants patagons.

*Page 35.*

1. Le manuscrit Naigeon attribue la première question à l'interlocuteur B et ne laisse que la seconde à A.

*Page 36.*

1. L'édition DPV du *Supplément* signale les observations manuscrites de La Condamine sur Aotourou, en particulier sur ses réactions devant la Vénus du Titien.

2. Bougainville affirme le contraire : « Il y [à Paris] est resté onze mois, pendant lesquels il n'a témoigné aucun ennui » (*Voyage*, ci-dessus p. 144). Delille a développé en vers un épisode de nostalgie de l'insulaire (voir notre préface, p. 23).

3. *Commodités* : « Ce mot au pluriel est presque synonyme à aise et désigne un état dans lequel on ne manque de rien, selon sa condition, où l'on jouit des avantages qui servent à rendre la vie plus commode, plus douce et plus aisée » (Trévoux). Nouvelle occurrence quelques pages plus loin : « ce que tu appelles les commodités de la vie ».

4. En fait, le Tahitien est mort sur le chemin du retour, au sud de Madagascar, le 7 novembre 1771.

5. Plusieurs manuscrits ajoutent : « tes maîtresses ».

*Page 37.*

1. La métaphore est développée à la fin du *Supplément* (p. 91-92)

2. « *Supplément*, en fait de littérature, signifie ce qu'on ajoute à un auteur, pour remplir les lacunes qui se trouvaient dans ses ouvrages, pour suppléer à ce qui y manquait » (Trévoux). Diderot connaissait-il le récit que les savants Joseph Banks et Daniel Solander avaient fait de leur voyage avec Cook, *A Journal of voyage round the world* (1771), qui avait été traduit en français par M. de Fréville sous le titre de *Supplément au Voyage de M. de Bougainville* en 1772 et constituait le troisième volume de la deuxième édition de Bougainville ?

## II

*Page 39.*

1. Le manuscrit Naigeon rattache ces « Adieux du vieillard » à la première partie du texte. — Le personnage apparaît effectivement dans le récit de Bougainville : « Le vieillard était père de notre hôte. Il n'avait du grand âge que ce carac-

tère respectable qu'impriment les ans sur une belle figure
[...]. Cet homme vénérable parut s'apercevoir à peine de notre
arrivée ; il se retira même sans répondre à nos caresses, sans
témoigner ni frayeur, ni étonnement, ni curiosité » (ci-
dessus p. 122).

2 Diderot a composé pour l'*Histoire des deux Indes* une
harangue aux Hottentots qui manifeste la même fougue et
pose la même question politique que ces adieux du vieillard :
« Fuyez, malheureux Hottentots, fuyez ! enfoncez-vous dans
vos forêts. Les bêtes féroces qui les habitent sont moins redoutables que les monstres sous l'empire desquels vous allez
tomber. Le tigre vous déchirera peut-être, mais il ne vous
ôtera que la vie. L'autre vous ravira l'innocence et la liberté.
Ou si vous vous en sentez le courage, prenez vos haches, ten-
dez vos arcs, faites pleuvoir sur ces étrangers vos flèches
empoisonnées. Puisse-t-il n'en rester aucun pour porter à
leurs citoyens la nouvelle de leur désastre ! » Sur cette éloquence insurrectionnelle, voir Michel Delon, « L'appel au lecteur dans l'*Histoire des deux Indes* », *Studies on Voltaire*, 286,
1991, et Stéphane Pujol, « Les formes de l'éloquence dans
l'*Histoire des deux Indes* », *Studies on Voltaire*, 333, 1995

3. Le crucifix de l'aumônier et l'épée du conquérant ont la
même forme. La rhétorique anticléricale du XIXᵉ siècle par-
lera du sabre et du goupillon. — Le sauvage de Bricaire de La
Dixmerie s'étonnait de « ce long fer suspendu » au côté des
Européens, qui les défigure et embarrasse leur démarche (*Le
Sauvage de Tahiti aux Français*, Londres-Paris, 1770, p. 57).

## Page 40.

1. « Chacun cueille les fruits sur le premier arbre qu'il rencontre, en prend dans la maison où il entre. Il paraîtrait que
pour les choses absolument nécessaires à la vie, il n'y a point
de propriété et que tout est à tous » (Bougainville, ci-dessus
p. 139). La Hontan avait déjà présenté le communisme primitif des Indiens : « C'est un fait aisé à prouver par l'exemple de
tous les sauvages du Canada, puisque malgré leur pauvreté ils
sont plus riches que vous, à qui *le Tien et le Mien* fait com-
mettre toutes sortes de crimes » (*Dialogues de M. le baron de
La Hontan et d'un sauvage dans l'Amérique* [1703], Desjonquères, 1993, p. 51).

2. En réalité, Bougainville signale à Tahiti le mariage et la
soumission des femmes à leur mari, mais ajoute : « [...] la

jalousie est ici un sentiment si étranger, que le mari est ordinairement le premier à presser sa femme de se livrer. Une
fille n'éprouve à cet égard aucune gêne ; tout l'invite à suivre
le penchant de son cœur ou la loi de ses sens, et les applaudissements publics honorent sa défaite » (ci-dessus p. 141).

## Page 41.

1. *Brute* : « animal considéré comme privé de la raison, et
par opposition à l'homme » (Trévoux).

## Page 42.

1. Bougainville distingue en réalité deux races dans l'île.
« La première, et c'est la plus nombreuse, produit des hommes
de la plus grande taille : il est ordinaire d'en voir de six pieds
et plus. Je n'ai jamais rencontré d'hommes mieux faits, ni
mieux proportionnés ; pour peindre Hercule et Mars, on ne
trouverait nulle part d'aussi beaux modèles [...]. La seconde
race est d'une taille médiocre [...] » (ci-dessus p. 137).

2. « Elles ont les traits assez délicats ; mais ce qui les distingue, c'est la beauté de leurs corps dont les contours n'ont
point été défigurés par quinze ans de torture » (ci-dessus
p. 138). Allusion aux vêtements européens.

3. « *Percer* les buissons, les halliers, les forêts, c'est passer
au travers » (Trévoux).

4. Par l'introduction des maladies vénériennes. Bougainville notait : « Notre chirurgien-major m'a assuré qu'il avait
vu sur plusieurs les traces de la petite vérole [la variole], et
j'avais pris toutes les mesures possibles pour que nous ne
leur communiquassions pas l'autre [la maladie vénérienne],
ne pouvant supposer qu'ils en fussent attaqués » (ci-dessus
p. 138). Il semble que la syphilis ait précédé à Tahiti l'arrivée
des Français. La maladie daterait d'un séjour précédent
d'Européens.

## Page 43.

1. Bougainville remarquait : « L'air qu'on respire, les chants,
la danse presque toujours accompagnée de postures lascives,
tout rappelle à chaque instant les douceurs de l'amour, tout
crie de s'y livrer » (ci-dessus p. 141). — C'est ce que Delille
nomme un « amour sans pudeur » qui n'est pas « sans innocence » (voir notre préface, p. 23). Sade propose une carica-
ture cruelle de ces accouplements publics : « Les Otaïtiens

satisfont publiquement leurs désirs ; ils rougiraient de se cacher pour cela. » Ils se plaisent à suivre « le viol d'une petite fille de dix ans par un grand garçon de vingt-cinq » (*Histoire de Juliette*, *Œuvres*, t. III, p. 340-341).

## Page 44.

1. Dans son premier compte rendu, Diderot avait écrit . « Enfoncez-vous dans les ténèbres avec la compagne corrompue de vos plaisirs » (ci-dessus p. 154). La formule est sans doute volontairement ambiguë, puisque la forêt représente la vie sauvage, par opposition à la terre défrichée et cultivée. La fin du *Supplément* évoquera l'homme des villes qui se dépouille pour « rentrer dans la forêt » (p. 92).

## Page 46.

1. La violence qui pose problème à Diderot est ici déplacée, du domaine humain et politique à celui de la nature. C'est l'océan qui se chargerait d'exécuter les Européens. De même, dans *Le Jugement dernier des rois*, composé par Sylvain Maréchal en pleine Révolution, les différents monarques européens sont déportés sur une île et c'est le volcan de l'île qui se charge de les faire disparaître.

2. Meister, le successeur de Grimm à la tête de la *Correspondance littéraire*, note : « Le discours du chef des Tahitiens dans le *Supplément au Voyage de M. de Bougainville* est un des plus beaux morceaux d'éloquence qui existent en aucune langue » (*Aux mânes de Diderot*, Londres-Paris, 1788, p. 29). — Une remarque de Normand Doiron à propos de l'Amérique du XVII$^e$ siècle reste valable pour la Polynésie du XVIII$^e$ : « Un type important d'orateur a presque été complètement oublié par les études rhétoriques consacrées au XVII$^e$ siècle. Et pourtant, il est plus que probable que le style de ses discours ait marqué l'évolution d'une certaine prose française. Les récits de voyage en Nouvelle-France mettent en scène d'éloquents capitaines sauvages et rapportent, en traduction, leurs très nombreuses harangues [...]. Découvrant un nouveau continent, les voyageurs inventent une éloquence inouïe » (« Genèse de l'éloquence sauvage », *L'Art de voyager. Le Déplacement à l'époque classique*, Les Presses de l'Université Laval-Klincksieck, 1995).

3. Des voyageurs espagnols avaient précédé Anglais et Français dans cette région du Pacifique au XVI<sup>e</sup> siècle, sous la direction du Portugais Queiros.

## Page 47.

1. Le domestique de Commerson.

2. Formule ironique puisque la *civilité* désigne les « compliments, paroles, actions obligeantes, gracieuses et autres devoirs de la vie » en société (Trévoux). Plus haut, Diderot parlait de « faire la politesse d'Otaïti » (p. 36).

3. En vue de l'*Histoire des deux Indes*, Diderot a consacré un chapitre pour rendre compte « Du goût antiphysique des Américains », c'est-à-dire des pratiques homosexuelles chez les Indiens. Il les rattache à cette « passion générale et violente qui foule aux pieds, même dans les contrées policées, l'honneur, la vertu, la décence, la probité, les lois du sang, le sentiment patriotique, parce que la nature qui a tout ordonné pour la conservation de l'espèce, a peu veillé à celle des individus, sans compter qu'il est des actions auxquelles les peuples policés ont avec raison attaché des idées de moralité tout à fait étrangères à des sauvages ». Voir M. Delon, « Du goût antiphysique des Américains », *De l'Armorique à l'Amérique de l'Indépendance, Annales de Bretagne et des Pays de l'Ouest*, 1977.

## Page 48.

1. Telle est aussi la conclusion de l'*Essai sur les femmes* (1772) et déjà d'un article du *Mercure* de 1745, attribué à Diderot, « Sur le courage des femmes ».

# III

## Page 49.

1. Bougainville décrit en effet cette hospitalité sexuelle (ci-dessus p. 126).

2. « *État* se dit encore des différents degrés ou conditions des personnes distinguées par leurs charges, offices, professions ou emplois [...]. Le mot d'*état*, considéré comme synonyme à condition, a plus de rapport à l'occupation ou au genre de vie dont on fait profession » (Trévoux).

*Page 50.*

1. Bougainville restait prudent : « Il est fort difficile de donner des éclaircissements sur leur religion » (ci-dessus p. 140).
2. Sur l'ambivalence d'honnêteté, voir p. 79 et n. 3.

*Page 51.*

1. *Véridique* : « qui dit la vérité, et qui aime à la dire » (Trévoux).

*Page 52.*

1. *Naïf* : « Appliqué aux personnes, il désigne celui qui dit sa pensée sans détour, qui dit librement ce qu'il pense » (Trévoux).
2. Plusieurs manuscrit ajoutent : « L'aumônier, après avoir rêvé un moment, répondit ». *Rêver, songer* et *penser* peuvent être synonymes dans la langue classique.

*Page 54.*

1. *Le Rêve de d'Alembert* s'ouvre déjà sur une évocation de Dieu comme être contradictoire et impossible, « être qui existe quelque part et qui ne correspond à aucun point de l'espace, [...] qui est inétendu et occupe de l'étendue, qui est tout entier sous chaque partie de cette étendue, qui diffère essentiellement de la matière et qui lui est uni, qui la suit et qui la meut sans se mouvoir, qui agit sur elle et qui en subit toutes les vicissitudes ».
2. L'image vient des *Confessions du comte de \*\*\** par Duclos qui fait dire à son héros, en 1741 . « [...] je rendis dans le jour même à la société Mme Derval, comme un effet qui devait être dans le commerce » (éd. Laurent Versini, Librairie Marcel Didier, 1969, p. 114-115). Elle se généralise alors. « Je regarde les jolies femmes comme *des effets qui sont dans le commerce*, et où chacun peut prétendre » (La Morlière, *Angola*, 1746, Desjonquères, 1991, p. 112). Les femmes sont « un effet de commerce » dont chacun peut « être possesseur » (Barret, *Le Grelot*, 1754, Londres, 1781, p. 85). Par la bouche de Ninon de Lenclos, Louis Damours étend la métaphore aux deux sexes : « Les cœurs sont la monnaie de la galanterie : les gens aimables sont des effets qui appartiennent à la société ; leur destination est d'y circuler, et de faire le bonheur de plu-

sieurs. Un homme constant est donc aussi coupable qu'un avare qui arrête la circulation dans le commerce. Il conserve un trésor qui lui est inutile, tandis que d'autres en feraient un si bon usage » (*Lettres de Ninon de Lenclos au marquis de Sévigné*, 1750, Amsterdam, 1769, t. II, p. 106).

## Page 55.

1. Le serment de fidélité est illusion. Diderot le dit aussi dans l'histoire de Mme de La Pommeraye : « Le premier serment que se firent deux êtres de chair, ce fut au pied d'un rocher qui tombait en poussière ; ils attestèrent de leur constance un ciel qui n'est pas un instant le même ; tout passait en eux et autour d'eux et ils croyaient leurs cœurs affranchis de vicissitudes » *(Jacques le Fataliste)*. Il ajoute dans les *Observations sur le Nakaz*, composées pour Catherine II : « L'indissolubilité est contraire à l'inconstance si naturelle à l'homme. »

2. « *Gercer* se dit aussi du bois, lorsqu'il se fend » (Trévoux).

## Page 56.

1. La théorie des trois codes sera énoncée plus loin (p. 81-82).

2. Les huit mots entre crochets ont été oubliés sur notre manuscrit de référence, par saut du même au même. Ils sont rétablis d'après les autres versions.

## Page 62.

1. Gilbert Chinard suggère un souvenir de la *Vie de Lycurgue* de Plutarque : jeunes filles et jeune gens de la cité doivent se trouver nus dans les cérémonies, et les maris âgés doivent prêter leur épouse à de jeunes amants pour avoir de beaux enfants.

## Page 63.

1. Voir p. 43 et n. 1.

2. On peut imaginer ces détails d'après ceux que La Hontan fournit pour les Hurons : « Les filles qui voient des jeunes gens nus, jugent à l'œil ce qui leur convient. La nature n'a pas mieux gardé ses proportions envers les femmes qu'envers les hommes. Ainsi, chacune peut hardiment juger qu'elle ne sera pas trompée en ce qu'elle attend d'un mari. Nos femmes sont capricieuses, comme les vôtres, ce qui fait que le plus chétif

sauvage peut trouver une femme. Car comme tout paraît à découvert, nos filles choisissent quelquefois suivant leur inclination, sans avoir aucun égard à certaines proportions : les unes aiment un homme bien fait, quoiqu'il ait je ne sais quoi de petit en lui ; d'autres aiment un mal bâti pourvu qu'elles y trouvent je ne sais quoi de grand ; et d'autres préfèrent un homme d'esprit et vigoureux, quoiqu'il ne soit ni bien fait, ni bien pourvu de ce que j'ai pas voulu nommer » (*Dialogues de M. le baron de La Hontan et d'un sauvage dans l'Amérique*, Desjonquères, 1993, p. 114).

3. La relativité des idées de beauté est traditionnelle : « Interrogez un nègre de Guinée ; le beau est pour lui une peau noire, huileuse, des yeux enfoncés, un nez épaté » (Voltaire, « Beau, Beauté », *Dictionnaire philosophique*). Mais l'idée de beauté est liée ici à la fonction accordée à la sexualité.

4. Le *moment* est une des catégories du libertinage chez Crébillon, auteur du dialogue *La Nuit et le Moment*. Il caractérise un temps discontinu, incompatible avec celui de la gestation.

5. L'adjectif correspond ici au substantif *éclat*, au sens de lumière vive et de brillant. « Les diamants sont entre les pierreries celles qui ont le plus d'*éclat*, le plus de feu » (Trévoux).

## Page 64.

1. Arnaud d'Ossat (1536-1604) est le fils d'un maréchal-ferrant d'Auch, devenu cardinal. S'il est aujourd'hui bien oublié, son ascension a frappé les contemporains, ses lettres ont été recueillies en 1624 et une édition annotée en a été donnée par Amelot de La Houssaie en 1697, plusieurs fois réédité. Il est cité par La Bruyère à côté de Richelieu (XII, 19), par Vauvenargues à côté de La Rochefoucauld (*Des lois de l'esprit*, Desjonquères, 1997, p. 150) et même par un libertin de Crébillon qui se réfère aux grands politiques (*Les Heureux Orphelins*, Desjonquères, 1995, p. 227). Diderot a rendu compte pour la *Correspondance littéraire* d'une *Vie du cardinal d'Ossat* par Mme Thiroux d'Arconville (1771). Le cardinal intervint dans les négociations de mariages ou d'annulations de mariages princiers. Il défendit le principe de l'Église qu'une épouse doit être appréciée selon sa capacité à avoir des enfants.

2. L'histoire de Polly Baker est une invention de Benjamin Franklin publiée dans le *London Magazine* en 1747. Son succès fut immédiat et l'a fait reproduire à travers l'Europe. Elle ap-

paraît dans l'*Histoire des deux Indes* en 1770. L'édition de 1780 souligne qu'on pourrait entendre ce discours « dans nos contrées et partout où l'on attache des idées morales à des actions physiques qui n'en comportent point, si les femmes y avaient l'intrépidité de Polly Baker ». Voir Max Hall, *Benjamin Franklin and Polly Baker. The History of a literary Deception*, The University of North Carolina Press, Chapel Hill, 1960. — Cette histoire ne se trouve que dans le manuscrit que nous suivons et dans un manuscrit du Fonds Vandeul.

3. Diderot prend l'État pour une ville.

4. Du sexe féminin.

*Page 65.*

1. Le pourcentage de femmes qui meurent en couches reste dramatiquement élevé au XVIIIe siècle.

2. L'éloge de l'allaitement maternel, fondé sur des arguments physiologiques et moraux, se répand au cours du siècle et trouve un chantre dans Jean-Jacques Rousseau. La mère qui s'occupe elle-même de son enfant s'oppose à la femme du monde qui met le sien en nourrice.

*Page 66.*

1. *Industrie* . « ce mot signifie le simple travail des mains [...]. Un père laborieux fait subsister sa famille par son travail, par son industrie » (Trévoux). Bougainville note « l'adresse et l'industrie » des Tahitiens (ci-dessus p. 142).

2. Cette situation a été dramatisée par Pétrus Borel dans un de ses *Contes immoraux* en 1833, « Monsieur de L'Argentière, l'accusateur ». Le héros éponyme corrompt une jeune fille, la fait ensuite condamner comme infanticide et assiste à son exécution. À la lecture de la sentence, la jeune femme dit seulement : « Ceux qui envoient au bourreau sont ceux-là mêmes qui devraient y être envoyés ! » Le matin de l'exécution, elle raconte son histoire au prêtre : « Celui qui était venu la consoler était plus faible qu'elle et plus inconsolable. Pauvre martyr ! l'appelait-il, en lui baisant les pieds comme on baise une châsse sainte. Il n'osait lui parler de son Dieu juste et bon ; sa providence était trop compromise par cette vie fatale »

*Page 67.*

1. *Animadversion* est un terme juridique, défini par Trévoux comme une « correction en paroles seulement »

2. *Remettre* est à prendre ici au sens de « faire grâce à quelqu'un de quelque chose qu'on est en droit d'exiger » (Trévoux).

3. L'abbé Raynal a en effet mis à contribution de nombreux collaborateurs pour sa monumentale *Histoire philosophique et politique des établissements et du commerce des Européens dans les deux Indes*, dont la première édition, datée de 1770, est diffusée en 1772, la deuxième en 1774, la troisième en 1780 : d'Holbach, Naigeon, Pechmeja, Diderot lui-même. L'ouvrage est mis à l'Index dès 1774, mais les poursuites civiles en France datent de 1780, elles obligent Raynal à s'exiler, tandis que les éditions de son ouvrage se multiplient.

### Page 68.

1. Diderot prit la défense de Raynal contre ses adversaires, contre Grimm lui-même, dans une *Lettre apologétique de l'abbé Raynal à Monsieur Grimm* composée le 25 mars 1781. Il répond à l'accusation selon laquelle Raynal n'aurait pas adopté le ton modéré de l'histoire : « Et que m'importe le ton sur lequel il s'est monté, pourvu que ce soit celui de son siècle qui en vaut bien un autre, qu'il m'instruise, qu'il m'émeuve, qu'il m'étonne ? [...] Est-ce que le philosophe traite l'histoire comme l'érudit, l'érudit comme le moraliste, le froid moraliste comme l'homme éloquent ? Hé bien, Raynal est un historien comme il n'y en a point encore eu, et tant mieux pour lui, et tant pis pour l'histoire. Si l'histoire avait, dès les premiers temps, saisi et traîné par les cheveux les tyrans civils et les tyrans religieux, je ne crois pas qu'ils en fussent devenus meilleurs, mais ils en auraient été plus détestés, et leurs malheureux sujets en seraient peut-être devenus moins patients [...]. Le livre que j'aime et que les rois et leurs courtisans détestent, c'est le livre qui fait naître des Brutus ; qu'on lui donne le nom qu'on voudra. »

## IV

### Page 71.

1. Ces voiles blancs, noirs et gris font penser aux couleurs des vêtements dans certains couvents et institutions pédagogiques, ainsi que dans certaines utopies.

2. *Fornication* : « On entend par là le péché de la chair entre deux personnes libres, qui ne sont point mariées, mais liées par aucun vœu. » Ces deux derniers sont désignés comme adultère ou sacrilège.

3. *Énorme* se dit dans la langue classique pour les crimes qui dépassent toute norme

### Page 73.

1. Diderot écrit pourtant dans l'*Histoire des deux Indes* : « Toutes les nations, mêmes les moins policées, ont proscrit l'union des sexes entre les enfants de la même famille, soit que l'expérience et le préjugé aient dicté cette loi, soit que le hasard y conduise naturellement. » Il ne peut imaginer la levée de ce tabou à Tahiti qu'au prix d'autres interdits sur les femmes infertiles. Il a mis en scène la tentation et l'exorcisme de l'inceste entre frère et sœur dans *Le Fils naturel* (1757).

### Page 74.

1. Trévoux en 1771 désigne *population* comme un « terme nouveau, qui manquait à la langue ». Son sens est actif : il désigne « l'action de peupler » et plus particulièrement encore les « moyens les plus propres pour la multiplication de l'espèce humaine ».

2. C'est le point de départ des *Deux Amis* de Saint-Lambert (1770) dans un cadre américain et des *Deux Amis de Bourbonne* de Diderot dans un contexte français.

### Page 75.

1. *Institution* au sens d'éducation. Acception différente du mot, p. 85 et n. 3.

### Page 78.

1. C'est le capuchon monastique auquel Diderot dans l'*Encyclopédie* consacre un article sarcastique. « *Capuchon* se dit plus communément d'une pièce d'étoffe grossière, taillée et cousue en cône, ou arrondie par le bout, dont les Capucins, les Récollets, les Cordeliers et d'autres religieux mendiants se couvrent la tête./Le capuchon fut autrefois l'occasion d'une grande guerre entre les Cordeliers. L'ordre fut divisé en deux factions, les frères spirituels et les frères de communauté. Les uns voulaient le capuchon étroit, les autres

le voulaient large. La dispute dura plus d'un siècle avec beaucoup de chaleur et d'animosité. »

*Page 79.*

1. Diderot a décrit ces symptômes dans *La Religieuse*.

2. Diderot suggère la multiplicité des étreintes durant la nuit.

3. L'ironie de la formule vient du double sens d'*honnêteté* comme bienséance, politesse, obéissance aux règles de la vie en société et comme pureté de mœurs. A reprend donc en saluant « cet aumônier *poli* ». On a déjà vu ce jeu sur le sens d'*honnêteté*, p. 47 et 50.

## V

*Page 80.*

1. *Médiocre* n'est pas péjoratif dans la langue classique : « qui tient le milieu de deux extrémités, qui n'a ni excès, ni défaut, qui est entre le grand et le petit, entre le bon et le mauvais ». « La raison, la justice veulent qu'on garde une honnête médiocrité en toutes choses, entre la clémence et la sévérité » (Trévoux). Le même dictionnaire cite des exemples de Saint-Evremond (« J'aime une heureuse médiocrité qui est au-dessus du mépris et au-dessous de l'envie ») et de La Fontaine (« Ô médiocrité !/ Mère du bon esprit, compagne du repos »).

*Page 82.*

1. « Les textes où Diderot oppose au code civil et au code religieux le vrai code, celui de la nature, sont si nombreux qu'il est impossible de les citer tous. Leur nombre même impose l'idée comme une idée force » (Michèle Duchet, *Anthropologie et histoire au siècle des Lumières*, Flammarion, 1977, p. 373). Une des premières versions de ce thème se trouve dès l'adaptation de Shaftesbury en 1745. Une des plus vigoureuses se lit dans l'*Histoire des deux Indes* : « Nous vivons sous trois codes, le code naturel, le code civil, le code religieux. Il est évident que tant que ces trois sortes de législations seront contradictoires entre elles, il est impossible qu'on soit vertueux. Il faudra tantôt fouler aux pieds la nature, pour obéir aux institutions sociales ; et les institutions sociales pour se conformer aux préceptes de la religion.

Qu'en arrivera-t-il ? C'est qu'alternativement infracteurs de ces différentes autorités, nous n'en respecterons aucune ; et que nous ne serons ni hommes, ni citoyens, ni pieux. »

**Page 83.**

1. *Gentillesse* se dit « des petits ornements du discours, du style, de l'éloquence », mais aussi, dans un sens péjoratif, de la filouterie et escroquerie (Trévoux).

**Page 85.**

1. Plus clairement, le médecin Bordeu explique à Mlle de L'Espinasse dans *Le Rêve de d'Alembert* : « Tout ce qui est ne peut être ni contre nature ni hors de nature. Je n'en excepte même pas la chasteté et la continence volontaires qui seraient les premiers des crimes contre nature, si l'on pouvait pécher contre nature, et les premiers des crimes contre les lois sociales d'un pays où l'on pèserait les actions dans une autre balance que celle du fanatisme et du préjugé » (*Le Neveu de Rameau* et autres dialogues philosophiques, Folio, p. 245).

2. « *Sombre* se dit figurément en morale des humeurs, des tempéraments tristes, taciturnes, mornes, mélancoliques, rêveurs, chagrins » (Trévoux).

3. « *Institution* se dit généralement de tout ce qui est inventé et établi par les hommes. Il est opposé à la nature. Tout ce qui vient de la nature est de même en tous lieux, et tout ce qui est d'institution est sujet au changement » (Trévoux). — La critique de la pudeur est récurrente chez Diderot, depuis la *Lettre sur les aveugles*, où les aveugles s'inquiètent peu de la nudité, jusqu'au *Salon de 1767* où il n'hésite pas à poser complètement nu devant Mme Therbouche, au risque d'être ému par la jeune femme et de se laisser voir. Mais plus généralement la question occupe le siècle, entre défenseurs et adversaires d'une pudeur naturelle. D'autres insistent sur la complémentarité du désir et de l'interdit : la pudeur n'est « qu'un moyen d'aiguiser le désir, de le porter au-delà du ton naturel des organes [...] un raffinement de luxure » (Rétif de La Bretonne, *La Paysanne pervertie*, GF, 1972, p. 268). « Mais une chose bien singulière, c'est que les freins que l'homme oppose au libertinage ne sont que les aiguillons du libertinage même : la pudeur, le premier de ces freins, n'est-elle pas un des stimulants les plus actifs de cette passion ? elle est

essentielle à la luxure » (Sade, *La Nouvelle Justine*, *Œuvres*, Bibl. de la Pléiade, t. II, p 539)

## Page 86.

1. « *Progrès* se dit aussi en général de toute sorte d'avancement, d'accroissement, d'augmentation, soit en bien, soit en mal » (Trévoux). On parle en effet des progrès d'une maladie comme de ceux de la guérison.

## Page 87.

1. « J'ai vu une femme honnête frissonner d'horreur à l'approche de son époux » (*Essai sur les femmes*).
2. Le vocabulaire est celui de la physique newtonienne selon laquelle les corps s'attirent en fonction de leur masse et de leur distance. Le désir amoureux serait de même proportionnel à la passion et inversement proportionnel à la crainte.
3. La métaphore militaire est omniprésente dans le roman libertin du temps. Don Juan se comparait à Hannibal et César ; Lovelace se prend pour César et Alexandre ; Valmont pour Turenne, Frédéric II de Prusse et Hannibal.
4. *Consacrer* se dit encore pour « relever le mérite d'une chose, y attacher une idée de grandeur, accorder des louanges à des choses qui n'en méritent point ». Le Trévoux ajoute cette citation : « La fortune *consacre* les grands crimes, et ils deviennent des vertus, quand ils sont couronnés par le succès. »

## Page 88.

1. *Moralité*, au sens de jugement moral ou, selon les termes de Trévoux, « rapport des actions humaines avec la loi qui en est la règle ».
2. Le coït n'est qu'« une friction de l'intestin et une émission de morve accompagnée d'une convulsion » (Marc-Aurèle, *Pensées*, VI, 13).

## Page 89.

1. Préceptes du *Deutéronome*, XIV et du *Lévitique*, XVIII. L'ixion et le griffon sont deux oiseaux de proie. Les traductions modernes de la Bible parlent de gypaète et de busard.
2. La progression est nette, d'une violence quotidienne à la torture juridique et à la mise à mort. Trévoux définit *tirailler*

« tirer deçà et delà, tirer à diverses reprises, avec violence ou importunité » et donne comme exemple : « Les écoliers se déchirent tous leurs habits à force de se tirailler ». *Tourmenter* signifie faire souffrir, torturer. *Tenailler* est « tourmenter un criminel avec des tenailles ardentes, ce qu'on ne fait qu'à ceux qui ont attenté à la personne du Roi ». Étendre sur la roue, c'est mettre à mort sur la place publique.

### Page 90.

1. « *Retour* se dit aussi pour repentir » (Trévoux). — La réplique de B et celle de A jusqu'à « l'homme artificiel et moral » manque dans la première rédaction du texte.

2. Sans aucun doute.

### Page 91.

1. La référence à la Calabre et les quatre répliques suivantes sont une adjonction tardive de Diderot, absente de la plupart des manuscrits. Comme l'addition de l'histoire de Testalunga dans *Les Deux Amis de Bourbonne*, elle provient du récit de voyage de Johann Hermann de Riedesel, *Reise durch Sizilien und Gross-Griechenland* (Zurich, 1771), traduit en français à Lausanne en 1773, sous le titre : *Voyage en Sicile et dans la Grande-Grèce, adressé par l'auteur à son ami M. Winckelmann*. Riedesel idéalise l'anarchie de Calabre tout comme les brigands siciliens (*Les Deux Amis de Bourbonne*, p. 36 et n. 2).

2. Le succès du couple de l'action et de la réaction est lié à la diffusion de la physique de Newton qui présente l'univers comme un ensemble d'interactions entre les corps matériels. Diderot est particulièrement sensible à cette interaction universelle qui devient un modèle pour penser tous les phénomènes complexes. Elle apparaît, en particulier, dans le rêve éponyme de d'Alembert. La vie y devient « une suite d'actions et de réactions », idée reprise dans les *Éléments de physiologie* : « Le corps animal est un système d'actions et de réactions. » C'est ici la société qui est un ensemble interdépendant de ressorts. Voir Jean Starobinski, *Action et réaction. Vie et aventures d'un couple*, Seuil, « La librairie du XXᵉ siècle », 1999.

*Page 92.*

1. Voir la Comparaison des peuples policés et des peuples sauvages que Diderot compose pour l'*Histoire des deux Indes*, ci-dessus p. 157.

2. Parmi ces hommes de ville retournés à la vie sauvage, on peut songer à l'Écossais Selkirk, abandonné en 1704 sur l'île Juan Fernandez et qui a servi de modèle à Robinson Crusoé (1719). Dans *La Nouvelle Héloïse*, Jean-Jacques Rousseau fait faire à Saint-Preux un tour du monde avec l'amiral Anson et lui donne la tentation de rester lui aussi à Juan Fernandez.

3. Buffon établit des statistiques sur les probabilités de la durée de la vie (*De l'homme*, éd. Michèle Duchet, Maspero, 1971, p. 162-164) et exprime le dilemme de l'existence entre intensité et durée. Il est suivi par les physiologistes contemporains et nourrit plus tard l'imaginaire de la « peau de chagrin » chez un romancier comme Balzac : voir M. Delon, *L'Idée d'énergie au tournant des Lumières*, PUF, 1988, p. 295-296.

*Page 93.*

1. Venise reste alors une République indépendante, dirigée par son aristocratie et étroitement contrôlée par une inquisition d'État dont les procédures sont secrètes et dont la prison des Plombs est l'emblème. Dans un fragment du Fonds Vandeul sur le gouvernement de Venise, Diderot remarque que les Vénitiens ont été consolés de la perte de leur liberté par « la séduction des voluptés, des plaisirs et de la mollesse ». Le Carnaval et le libertinage qu'il autorisait duraient plusieurs mois par an, attirant les touristes de l'Europe entière. « Venise devint le pays de la terre où il y avait le moins de vices et de vertus factices. »

2. La lyre aurait été inventée par Mercure. L'anecdote de la corde coupée est rapportée par Plutarque dans la *Vie d'Agis*.

3. Jeu sur la corde musicale et sur la corde qui métaphoriquement retient les citoyens, limite leur liberté.

4. « *Sophistiquer* signifie mélanger, altérer des drogues et des marchandises, en y mêlant d'autres de différente ou moindre qualité. Il se dit particulièrement des remèdes et des drogues qu'on soupçonne n'être pas toujours sans mélange » (*Encyclopédie*). Le sens de « subtiliser à outrance » existe déjà au xviiie siècle et Voltaire ne se fait pas faute de l'employer contre la théologie.

**5.** La Reymer, cynique et intéressée, et Tanié, amoureux et crédule, Gardeil, vite lassé par sa maîtresse, et Mlle de La Chaux, toujours passionnément éprise de lui, sont les deux couples sans réciprocité dont Diderot raconte l'histoire dans *Ceci n'est pas un conte*. Desroches et Mme de La Carlière ne parviennent pas mieux à constituer un couple harmonieux dans *Madame de La Carlière*. Les deux contes forment un triptyque avec le *Supplément*. Voir *Les Deux amis de Bourbonne* et autres contes, dans la collection Folio.

## Page 95.

**1.** Remarquant un embarras chez les Tahitiennes prêtes à se livrer aux nouveaux venus, Bougainville se demandait si partout « les femmes paraissent ne pas vouloir ce qu'elles désirent le plus » (ci-dessus p. 121).

## DU MÊME AUTEUR
### Dans la même collection

LA RELIGIEUSE. *Édition présentée et établie par Robert Mauzi.*

LE NEVEU DE RAMEAU, suivi d'autres dialogues philoso-phiques : MYSTIFICATION, LA SUITE D'UN ENTRE-TIEN ENTRE M. D'ALEMBERT ET M. DIDEROT, LE RÊVE DE D'ALEMBERT, SUITE DE L'ENTRETIEN PRÉCÉDENT, ENTRETIEN D'UN PÈRE AVEC SES ENFANTS, SUPPLÉMENT AU VOYAGE DE BOUGAIN-VILLE, ENTRETIEN D'UN PHILOSOPHE AVEC LA MARÉCHALE DE \*\*\*. *Édition présentée et établie par Jean Varloot.*

JACQUES LE FATALISTE ET SON MAÎTRE. *Édition présentée et établie par Yvon Belaval.*

LES BIJOUX INDISCRETS. *Édition présentée et établie par Jacques Rustin.*

LETTRES À SOPHIE VOLLAND. *Édition présentée et établie par Jean Varloot.*

PARADOXE SUR LE COMÉDIEN suivi de LETTRES SUR LE THÉÂTRE À MADAME RICCOBONI ET À MADEMOISELLE JODIN. *Édition présentée et établie par Robert Abirached.*

LES DEUX AMIS DE BOURBONNE. CECI N'EST PAS UN CONTE. MADAME DE LA CARLIÈRE, suivis de l'ÉLOGE DE RICHARDSON. *Édition présentée et établie par Michel Delon.*

*Composition Nord Compo.*
*Impression Bussière*
*à Saint-Amand (Cher), le 8 avril 2005.*
*Dépôt légal : avril 2005.*
*1<sup>er</sup> dépôt légal dans la même collection : septembre 2002.*
*Numéro d'imprimeur : 051471/1.*
ISBN 2-07-042625-6./Imprimé en France.

136322